うんこドリル

で，5年生の算数を

楽しく先どり！

日本一楽しい学習ドリル
うんこドリル
小学5年 算数
新学習指導要領対応
うんこハンター名鑑［日本編］収録！
小数のかけ算・わり算の練習に！
文響社

うんこドリル
小数
分数

定価各858円（本体780円＋税10%）

「うんこ」の魔法で短期間に集中して計算力をアップすることができるドリル。力をつけるうんこ文章題や，楽しいうんこコラムも充実しています。

※書影やタイトルは予告なく変更させていただくことがございます。

小数×小数の筆算①

今日のせいせき
まちがいが

0~2こ よくできたね!

3~5こ できたね
6こ~ がんばれ

小数×小数の筆算は，積の小数点のうち方がポイント。しっかり覚えよう。

1 2.3×1.2の筆算のしかたを考えます。

	2.	3
×	1.	2
	4	6
2	3	
2	7	6

➡

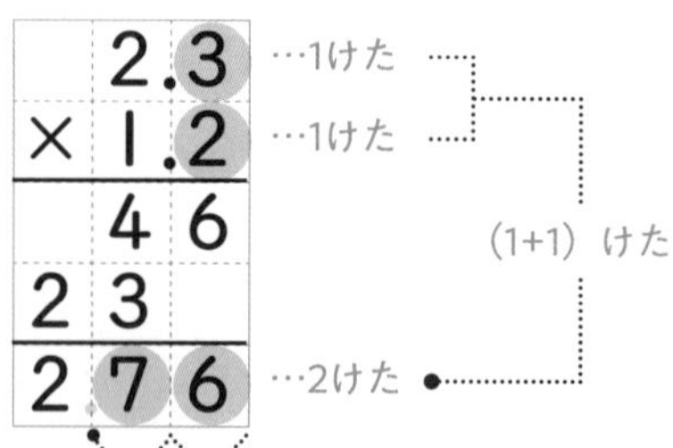

❶小数点がないものとして計算する。

❷積の小数点は，かけられる数とかける数の小数点の右にあるけた数の和だけ，右から数えてうつ。

2 筆算で計算をしましょう。

①
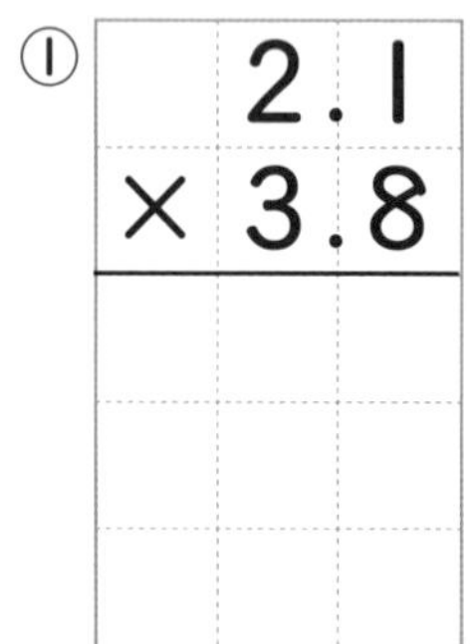

②
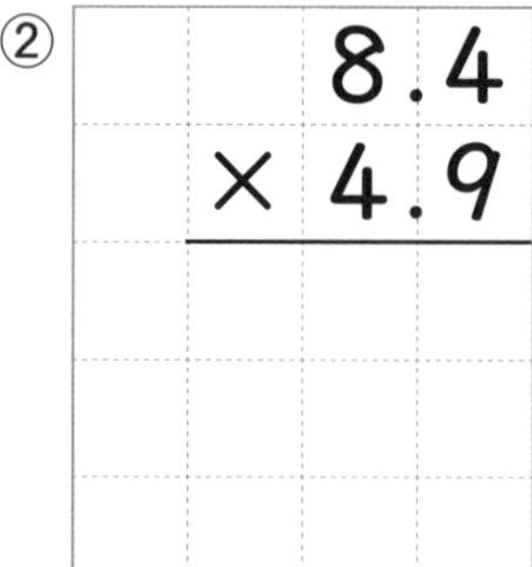

③

	3.	1	8
×		2.	8

④

	3.	9	6
×		6.	2

2 ①7.98　②41.16　③8.904　④24.552

3 筆算で計算をしましょう。

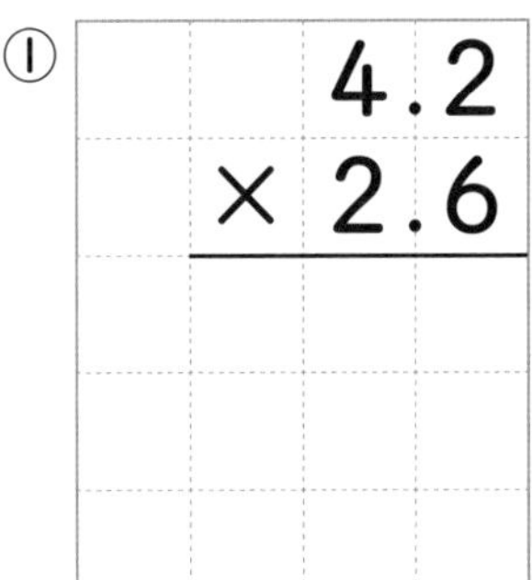

① 4.2×2.6

② 7.8×2.7

③ 4.57×7.4

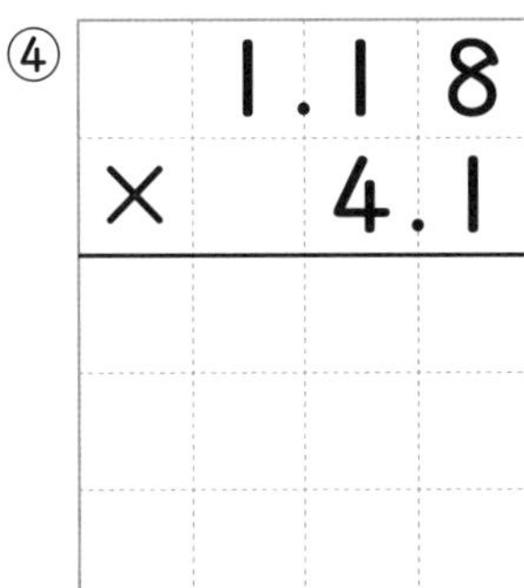

④ 1.18×4.1

3 ①10.92　②21.06　③33.818　④4.838

うんこ文章題に チャレンジ！ **1**

うんこをガチガチにかためて作った棒(ぼう)が「うんこ棒」です。うんこ棒1mの重さは3.3kgです。うんこ棒1.8mの重さは何kgですか。

筆算

式

答え ＿＿＿＿＿＿

式 3.3×1.8＝5.94　答え 5.94kg

C 次の文章の□に漢字を書きましょう。

「ウンコムシの不思議」①

生物学者・運駒(うんこま) 三礼次郎(みれじろう)

みなさんは、ウンコムシという生物を知っていますか？

アマゾンの奥地(おくち)にすむ、とてもめずらしい虫で、その名のとおりうんこのような形をしています。

その生(せい)①［たい］は、私(わたし)たちが②［な］れ親(した)しんでいる、アリやバッタやセミなどの虫たちとはずいぶんちがいます。

ウンコムシの特ちょう1「神(しん)しゅつ鬼没(きぼつ)」

ウンコムシは、何もないところからいきなり③［しゅつ］［げん］します。

卵(たまご)や幼虫(ようちゅう)も見つかっておらず、いったいどのように生まれてくるのか、なぞに包まれています。

ウンコムシの特ちょう2「ものまね名人」

ウンコムシは、自分の目で見た動きを同じように④［さい］［げん］できます。まるで人間のようにおどるウンコムシも、確認(かくにん)されています。

ウンコムシの特ちょう3「⑤［えい］［えん］の命？」

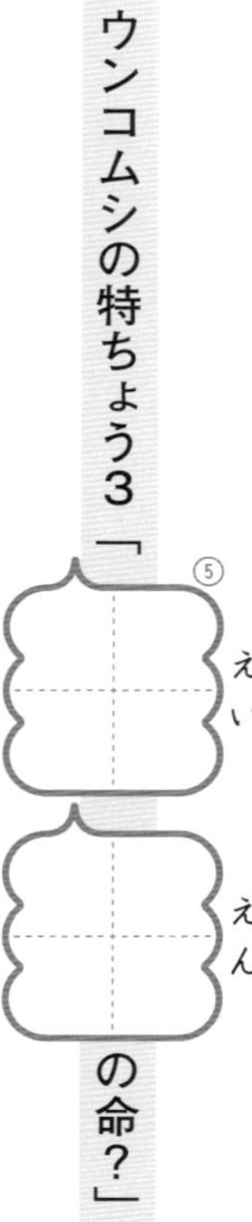

生物学者の中には、「ウンコムシは不老不死」という説を唱えている人もいます。ウンコムシの死がいを、まだ一つも確認(かくにん)できていないからです。

①態 ②慣 ③出現 ④再現 ⑤永遠

1

覚える漢字

現　永　旧　慣　状　再　態

月　日

A ［　］に漢字の読みがなを書きましょう。

1 こんなにはく力(りょく)のあるうんこは、**久々**［　］に見ました。

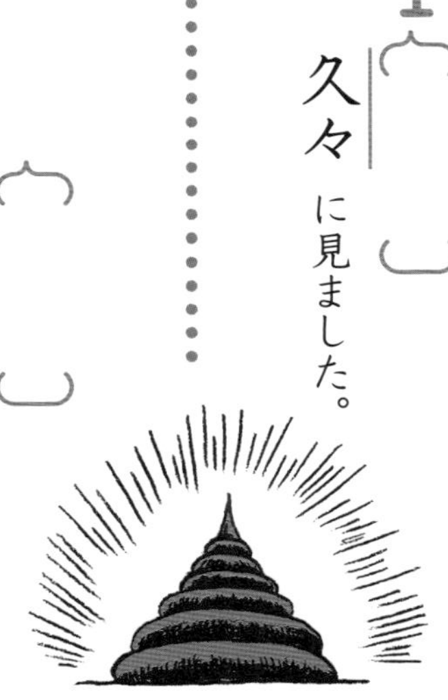

2 父が、賞(しょう)**状**［　］をもらうような姿勢(しせい)でうんこをしている。

3 うんこ委員会の**実態**［　］は、なぞに包まれている。

4 空に七色のうんこが見える**現**［　］象(しょう)を、「うんこにじ」と呼(よ)ぶ。

5 うんこが、**永**［　］い時間をかけて化石になった。

6 五十年ぶりの**再会**［　］をしたばかりなのに、すぐにうんこに行ってしまった。

7 **旧式**［　］の戦車が、うんこをものともせずに進んでいく。

8 この地方では、正月にうんこを持ってあいさつに行くのが**慣例**［　］になっています。

1 ひさびさ　2 じょう　3 じったい　4 げん　5 なが　6 さいかい　7 きゅうしき　8 かんれい

状

音 ジョウ
訓 ―

状（わすれない）

\ 言葉 /
現状（げんじょう）
礼状（れいじょう）
案内状（あんないじょう）

1 年賀（ねんが）**状**にうんこのイラストをかく。

2 父の部屋（へや）にある賞（しょう）［　　］（じょう）にうんこを付けてしまった。

3 スタントマンが、橋から逆（さか）さづりの［　　］（じょう）態（たい）でうんこをしている。

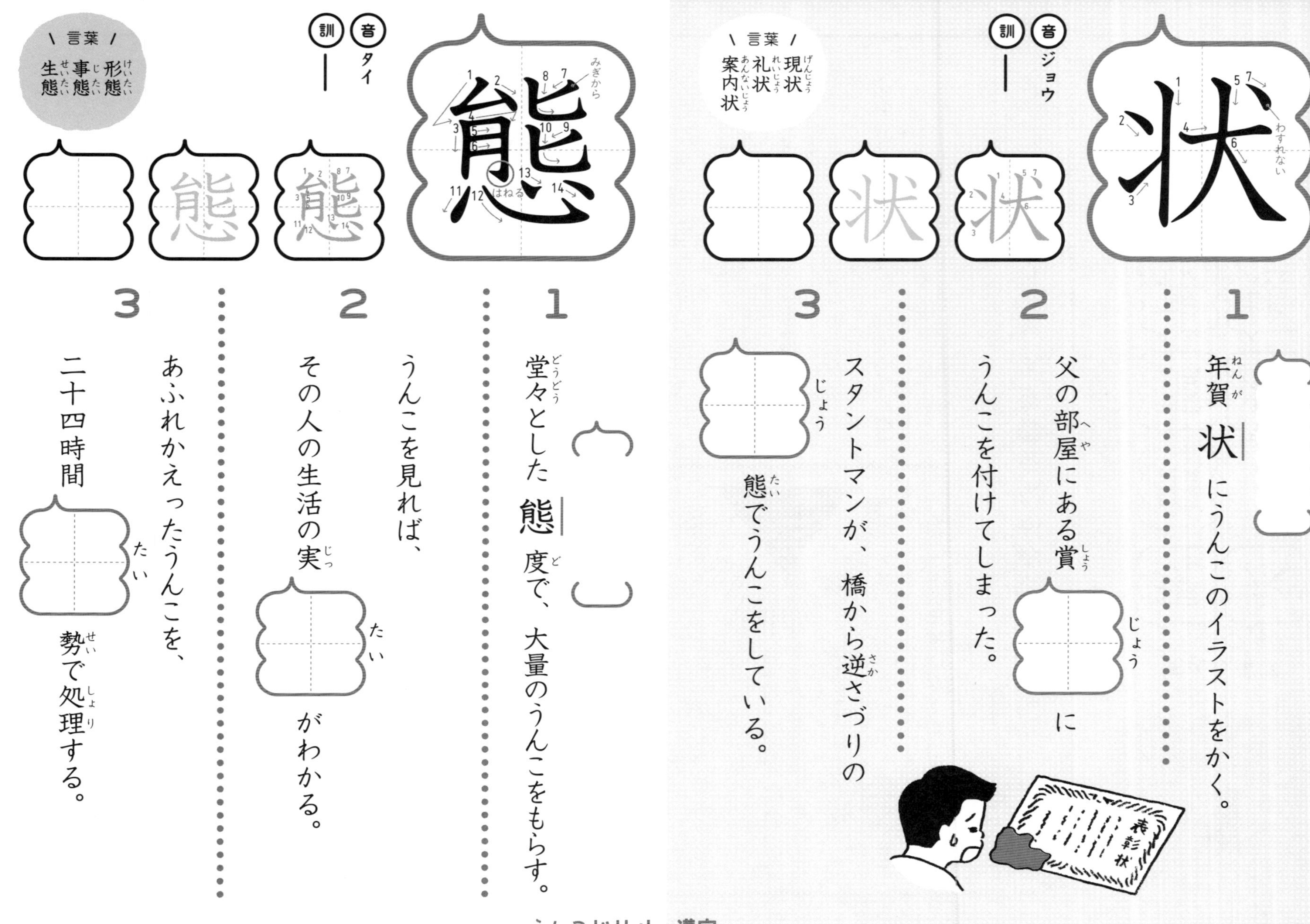

態

音 タイ
訓 ―

態（みぎから）（はねる）

\ 言葉 /
形態（けいたい）
事態（じたい）
生態（せいたい）

1 堂々（どうどう）とした**態**度（ど）で、大量のうんこをもらす。

2 うんこを見れば、その人の生活の実（じつ）［　　］（たい）がわかる。

3 あふれかえったうんこを、二十四時間［　　］（たい）勢（せい）で処理（しょり）する。

状　1 じょう　2 状　3 状
態　1 たい　2 態　3 態

永

音 エイ
訓 ながい

かたちに ちゅうい
はねる

\ 言葉 /
永続（えいぞく）　永年（えいねん）　永久歯（えいきゅうし）

1 ぼくは、あの夏の日のうんこを［永］遠（えん）に忘（わす）れないだろう。

2 「うんこの国」があったら［　］（えい）住（じゅう）したい。

3 その男は、うんこと共に［　］（なが）いねむりからさめた。

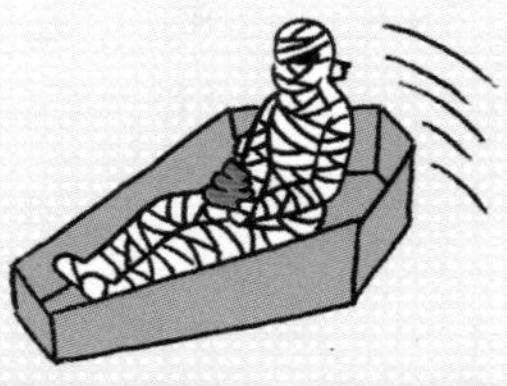

久

音 キュウ（ク）
訓 ひさしい

つきださない

\ 言葉 /
長久（ちょうきゅう）　持久力（じきゅうりょく）　久々（ひさびさ）

1 うんこを永（えい）［久］に保存（ほぞん）できる技術（ぎじゅつ）が開発されました。

2 持（じ）［　］（きゅう）走（そう）の選手が、指先にうんこを付けて走っている。

3 「うんこ英雄伝（えいゆうでん）」は、［　］（ひさ）しぶりにおもしろそうなまん画（が）だ。

永……1 えい　2 永　3 永
久……1 きゅう　2 久　3 久

うんこドリルで，5年生の漢字を楽しく先どり！

ちょっとだけおためしでといてみるのじゃ！

おためし
TRIAL BOOK

うんこドリル 漢字

定価1078円（本体980円＋税10%）

社会現象を巻き起こしたベストセラー話題作！新しいお勉強のかたちの元祖とも言えるドリルです。おもしろくてしっかり漢字が身につく，最強の1冊です。

うんこドリル 漢字 問題集編

定価1078円（本体980円＋税10%）

漢字の総復習も「うんこ」で解決！　うんこ例文の他に，読む力もつくうんこ長文や学力チェックテストも収録。漢字の定着が期待できます。

日本一楽しい学習ドリル
うんこドリル
新学習指導要領対応
小学5年生
漢字
国語
全例文でうんこの使用に成功！
見やすい書き順
覚えやすい独自の順序
文響社

※書影やタイトルは予告なく変更させていただくことがございます。

うんこ総復習ドリル

算数・理科・社会 目次

国語は反対側から始まるよ。

算数

理科

社会

算数

４年生の勉強は
しっかりと
身について
おるかのう？

「うんこ総復習ドリル」の
世界を旅しながら，
わしといっしょに
復習をしていくぞい！

わり算①

1 うんこにまたがった5人のうんこライダーがいます。1周(しゅう)の長さ85kmのコースを5人で同じ長さずつのリレーで走るとき，1人(ひとり)のうんこライダーが走るきょりは何kmですか。

式

筆算

答え ＿＿＿＿＿＿

2 175円持って，うんこを買いに行きました。1こ9円のうんこは何こ買えて，何円残(のこ)りますか。

式

筆算

答え ＿＿＿買えて，＿＿＿残る。

3 筆算で答えを求(もと)めましょう。

① 48÷3

② 73÷4

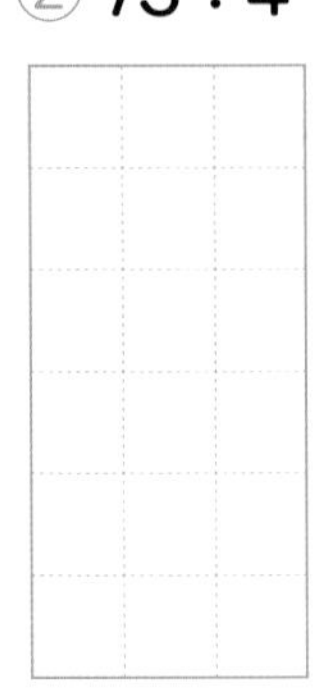

③ 82÷7

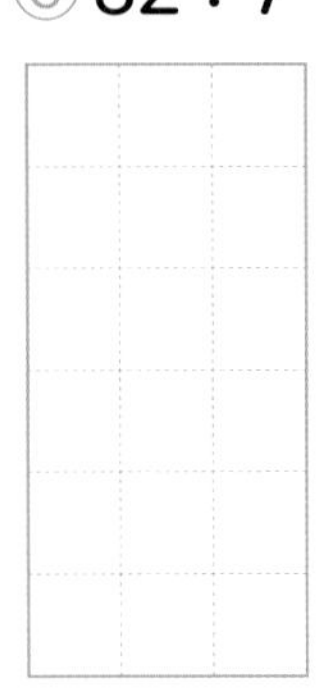

④ 61÷2

⑤ 438÷6

⑥ 324÷5

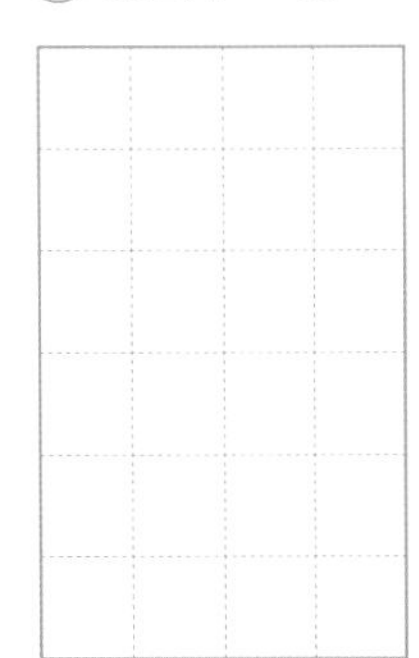

⑦ 126÷4

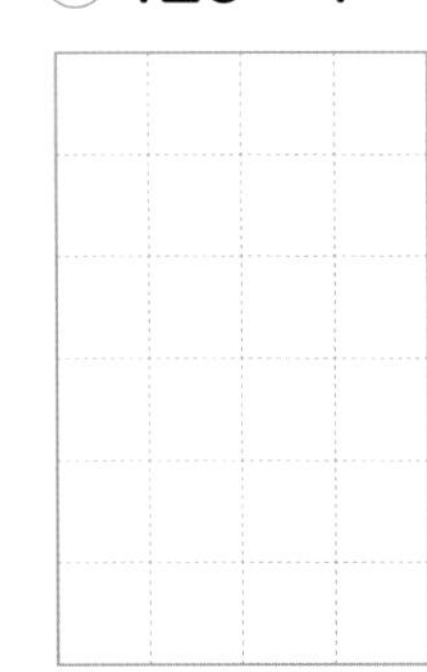

⑧ 643÷8

ドリルを1ページやったら，総復習ドリルシートにそのページのシールをはろう！

2 算数

わり算❷

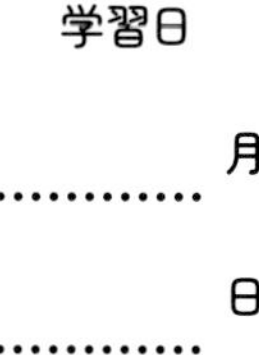

1 長さ96cmの細長いうんこをスコップで
12cmずつに切ります。
うんこは何本に切り分けられますか。

式

筆算

答え ______________

2 おじいちゃんは，15分に1回うんこを出すことができます。
85分ではうんこを何回出せて，何分あまりますか。

式

筆算

答え ＿＿出せて，＿＿あまる。

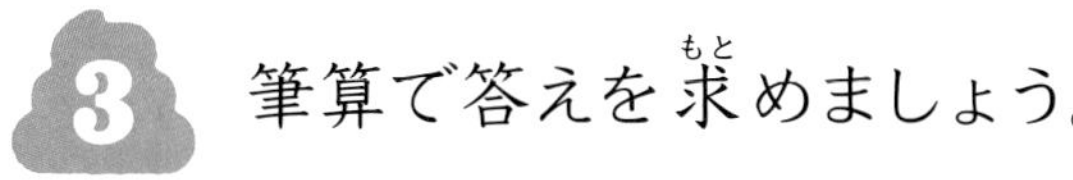

3 筆算で答えを求めましょう。

① 42÷14　② 84÷21　③ 68÷17　④ 91÷13

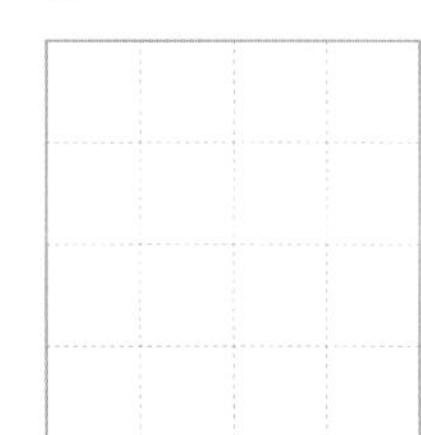

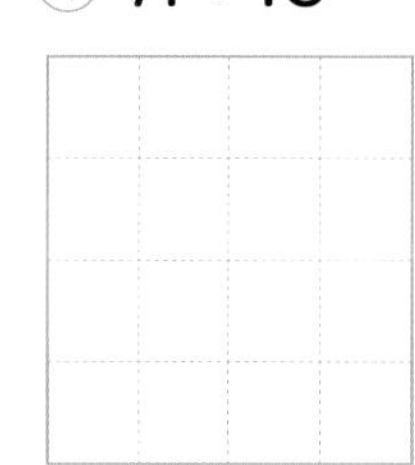

⑤ 35÷11　⑥ 91÷18　⑦ 60÷23　⑧ 93÷19

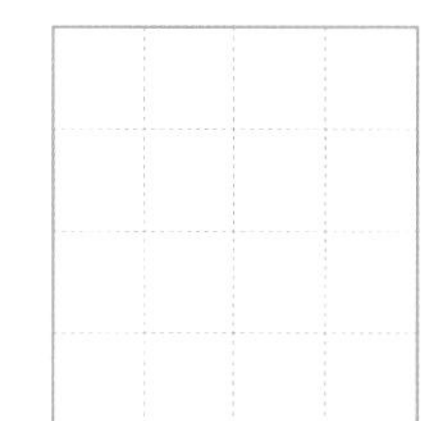

3
算数

わり算③

学習日
月
日

1 うんこを18こ持っていくとチワワ1ぴきと交かんしてくれるおじさんがいます。
たつきくんはうんこを216こ持っていきました。
チワワは何びきもらえますか。

式

筆算

答え

2 先生が，海外のうんこの写真を605まい持ってきてくれました。
クラスの児童(じ)23人で同じまい数ずつわけます。
1人(ひとり)何まいずつもらえて，何まいあまりますか。

式

筆算

答え　ずつもらえて，　あまる。

3 筆算で答えを求(もと)めましょう。

① 168÷42

② 288÷36

③ 435÷71

④ 427÷58

⑤ 210÷14

⑥ 713÷25

⑦ 856÷39

⑧ 652÷16

大きい数

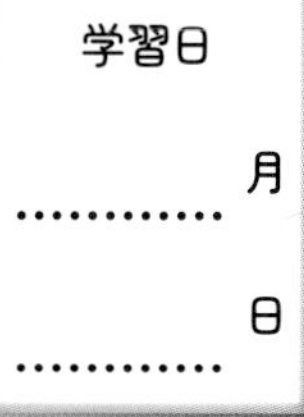

1 次の数を数字で書きましょう。

① 父がこれまでに集めたうんこの数
… 五十九億七千八百五万百二十三こ

{　　　　　　　　　　} こ

② 世界一高いうんこのねだん … 四兆六千二百億千九百七万五千九十一円

{　　　　　　　　　　} 円

2 「7396420675182」という数について，次の位の数字を書きましょう。

① 一兆の位 {　　}　② 一億の位 {　　}　③ 十万の位 {　　}

3 □にあてはまる等号（＝），不等号（＞，＜）を書きましょう。

① 22億3000万 □ 22兆3000億　② 756億 □ 657億

③ 1兆 □ 5000億＋5000億　④ 1兆＋1兆 □ 2950万＋2兆

4 次の数を10倍した数と$\frac{1}{10}$にした数を書きましょう。

① 95億　10倍 {　　　　}　$\frac{1}{10}$ {　　　　}

② 4兆　10倍 {　　　　}　$\frac{1}{10}$ {　　　　}

5 「49×17＝833」を使って，次の計算の答えを求めましょう。

① 4900×170　② 49万×17万

5
算数

小数のたし算

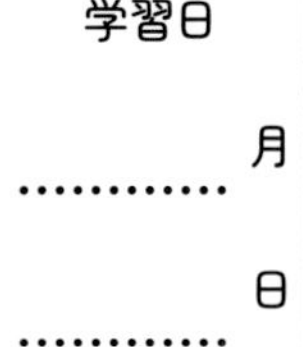

1 ミュージシャンが，重さ1.84kgのエレキギターと重さ6.92kgのうんこのかたまりを運んでいます。あわせて何kg運んでいますか。

式

筆算

答え ____________________

2 深さが1.33mのプールに巨大うんこをしずめたら，水の上に0.77m出ました。
巨大うんこの高さは何mですか。

式

筆算

答え ____________________

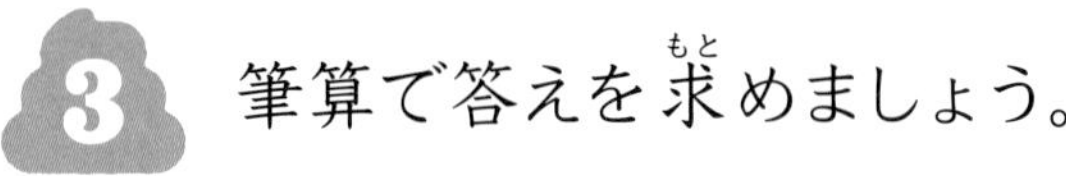

3 筆算で答えを求めましょう。

① 1.43+3.25　② 0.27+2.31　③ 3.46+2.78　④ 5.98+1.69

⑤ 11.73+7.42　⑥ 6.42+0.78　⑦ 2.574+1.073　⑧ 3.958+4.842

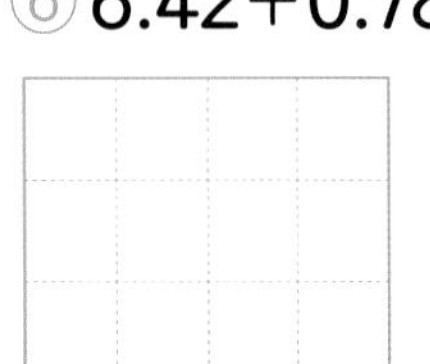

6 算数

小数のひき算

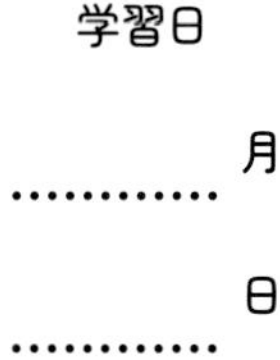

1 消しゴムのかけら**5.43g**とうんこのかけら**7.27g**があります。
どちらのかけらが，どれだけ重いですか。

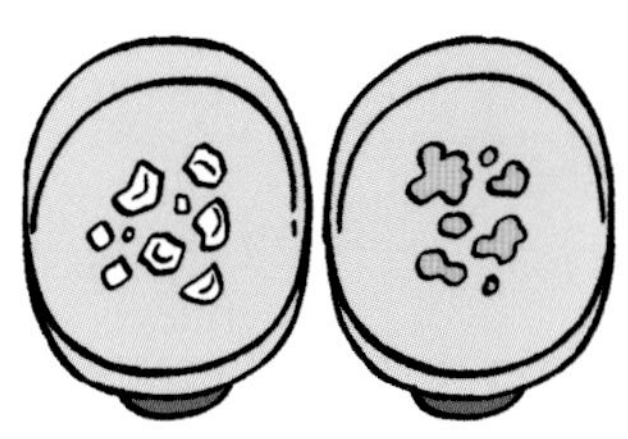

式

筆算

答え ＿＿＿のかけらが，＿＿＿重い。

2 **42.195km**のマラソンコースを，うんこと豆腐(とうふ)を持って走ります。スタートから**33.475km**の地点でうんこも豆腐もくずれてしまいました。
ゴールまで残(のこ)り何**km**でしたか。

式

筆算

答え ＿＿＿＿

3 筆算で答えを求(もと)めましょう。

① 7.56−2.14　② 4.95−0.81　③ 6.45−3.29　④ 3.51−2.74

⑤ 4.62−0.82　⑥ 3.482−3.039　⑦ 4.7−1.53　⑧ 6−0.97

折(お)れ線グラフ

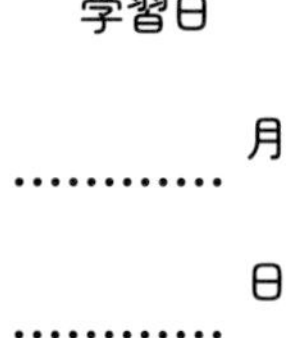

1 高(か)さが変(か)わる不思議(ふしぎ)なうんこを手に入れました。下の折(お)れ線グラフは，うんこの高さの変化(へんか)を表したものです。次の問題に答えましょう。

① たてのじくの１目もりは何cmを表していますか。

{　　　} cm

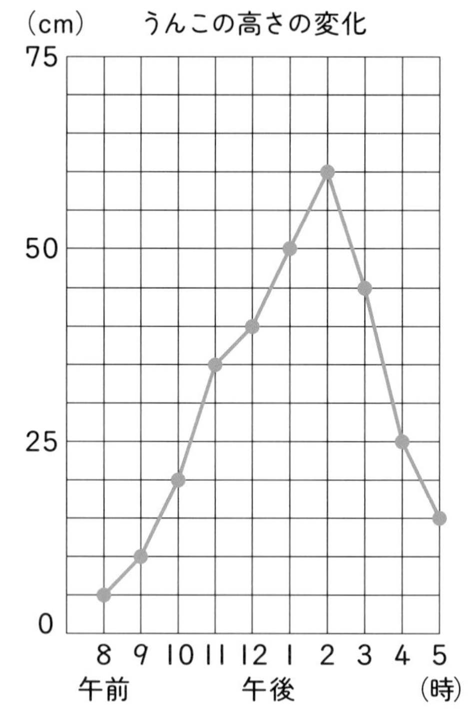

② 午前10時の高さは何cmですか。

{　　　} cm

③ うんこが最(もっと)も高くなったときの高さは何cmですか。

{　　　} cm

④ 午後１時と午後２時の高さの差(さ)は何cmですか。

{　　　} cm

⑤ 高さの変化が最も大きかったのは，何時から何時までの間ですか。

{　　　} から {　　　} までの間

2 次のうち，折れ線グラフで表すとよいものすべてに○をつけましょう。

{　　} 毎日同じ時間にはかったひまわりの高さの変化

{　　} 町で拾ったうんこの場所と数

{　　} ひまわり畑にさいたそれぞれのひまわりの高さのちがい

{　　} 父がしたうんこの回数の１週間ごとの変化

角の大きさ

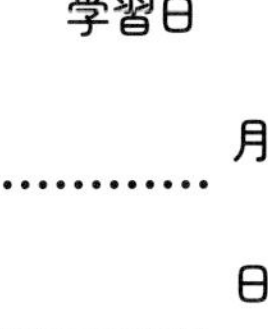

1 分度器(き)を使って，次の角度をはかりましょう。

① 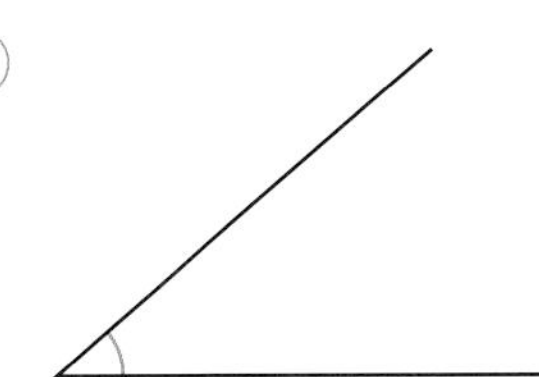 ｛　　　｝

②  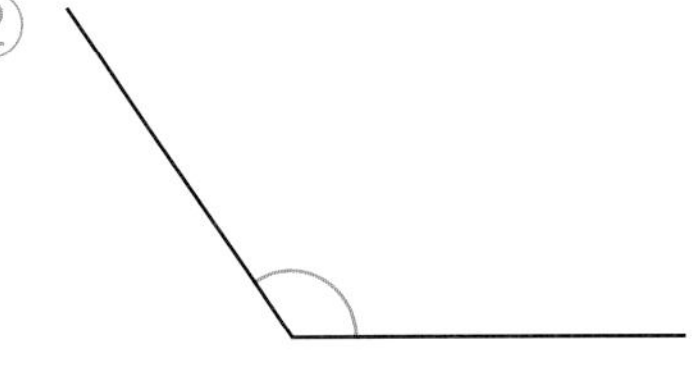 ｛　　　｝

③ 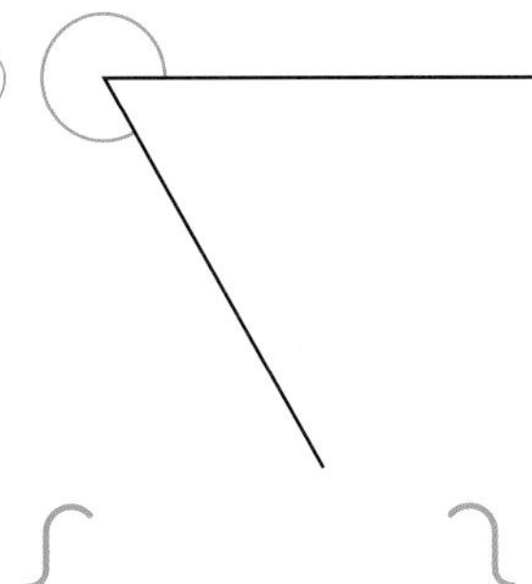 ｛　　　｝

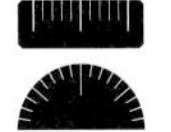

2 点アを中心にして，うんこのある方向に向かって次の大きさの角をかきましょう。

① 60°

② 100°

③ 200°

3 下の図のあ，いの角度を求(もと)めましょう。

 あ｛　　　｝   い｛　　　｝ 

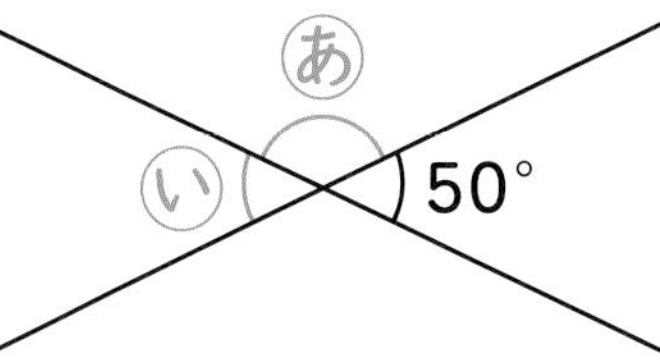

4 三角定規(じょうぎ)を組み合わせました。あ～えの角度を求めましょう。

① 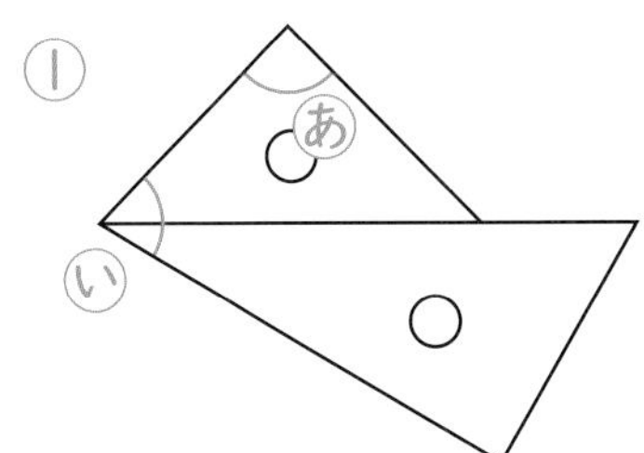

②  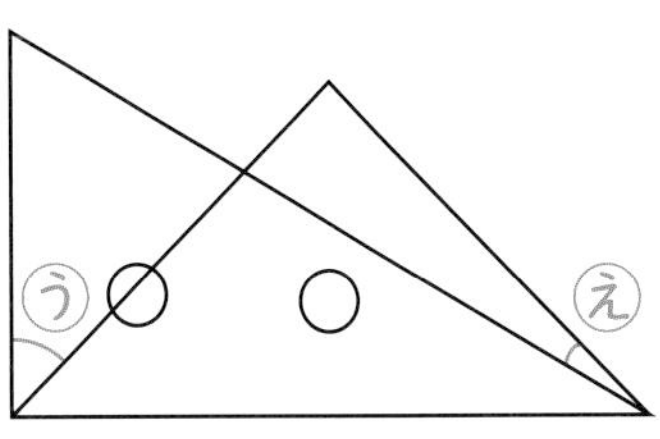

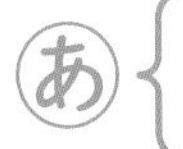 あ｛　　　｝   い｛　　　｝  う｛　　　｝  え｛　　　｝ 

がい数

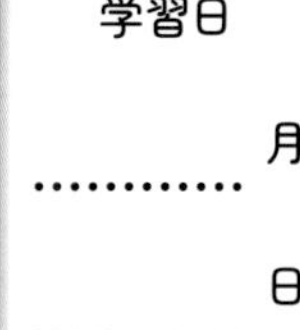

1 次のうち，がい数で表すことのできるものすべてに○をつけましょう。

〔　　〕全国の小学生の人数

〔　　〕日本の都道府(ふ)県の正確(せいかく)な数

〔　　〕うんこをがまんしているときの正確な体温

〔　　〕うんこ転がし祭りへの参加(さんか)人数

2 四捨五入(ししゃごにゅう)して，〔　〕の中の位(くらい)までのがい数にしましょう。

① 54291〔千の位〕 〔　　　〕

② 8372〔百の位〕 〔　　　〕

③ 60913〔一万の位〕 〔　　　〕

3 四捨五入して，〔　〕の中のがい数にしましょう。

① 5781〔上から1けた〕 〔　　　〕

② 6390〔上から2けた〕 〔　　　〕

③ 48210〔上から2けた〕 〔　　　〕

4 〔　〕にあてはまる数を書きましょう。

① 四捨五入して百の位までのがい数にすると700になる整数は，

〔　　　〕以(い)上〔　　　〕以下です。

② 四捨五入して上から1けたのがい数にすると2000になる数は，

〔　　　〕以上〔　　　〕未満(みまん)です。

がい数の計算

学習日
月
日

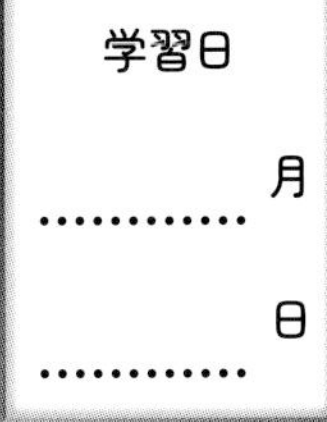

1 下の3つのものをすべて買おうと思います。1000円で買えるでしょうか。
十の位（くらい）の数を切り上げて計算して，
合うほうを◯でかこみましょう。

290円　255円　380円

式

答え　買える・買えない

2 ふつうの人は，1日で193このうんこを配ることができます。
41日間で配れるうんこは約（やく）何こになりますか。
かけられる数とかける数を四捨五入（ししゃごにゅう）して上から1けたのがい数にして，
答えを見積（つ）もりましょう。

式

答え　約

3 うんこみんなに配るマンは，1日で60755このうんこを配ることができます。
今日（きょう）は，29か所の駅前で同じ数ずつ配ります。
1つの駅で配るうんこの数は約何こになりますか。
わられる数とわる数を四捨五入して上から1けたのがい数にして，答えを見積もりましょう。

式

答え

4 四捨五入して上から1けたのがい数にして計算し，答えを見積もりましょう。

① 5389＋7645｛約　｝
② 8941−3073｛　｝
③ 4290×18｛　｝
④ 58297÷292｛　｝

垂直と平行

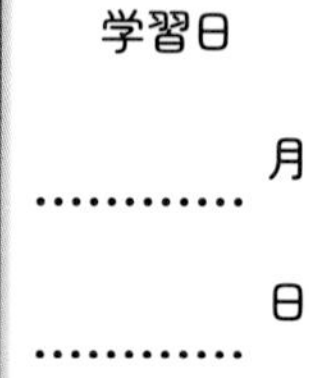

1 下の図のような㋐～㋕の直線があります。

① 垂直になっている直線はどれとどれですか。

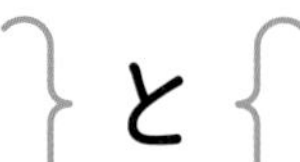

{　　　}と{　　　}，

{　　　}と{　　　}

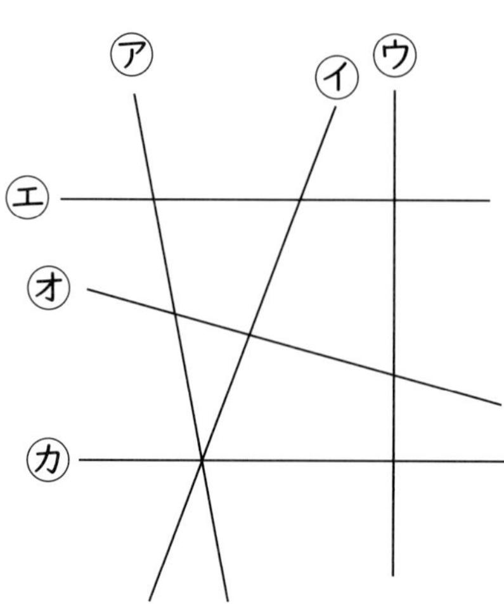

② 平行になっている直線はどれとどれですか。

{　　　}と{　　　}

2 点Aを通って，うんこに重ならないようにしながら垂直な直線をひきましょう。

①

②

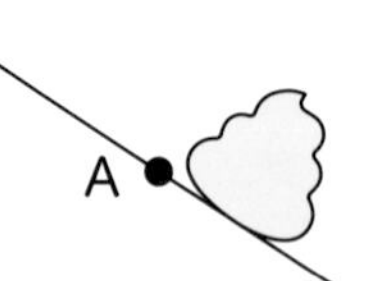

③

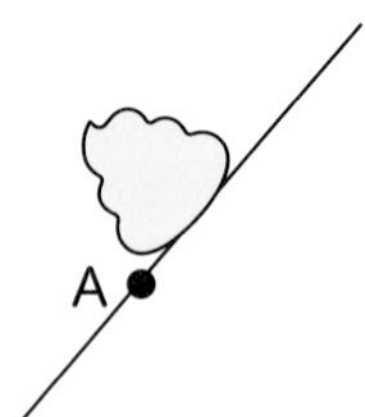

3 点Aを通って，うんこに重ならないようにしながら平行な直線をひきましょう。

①

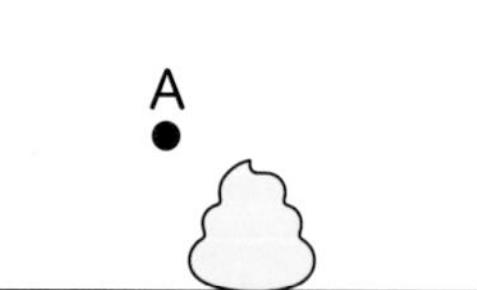

②

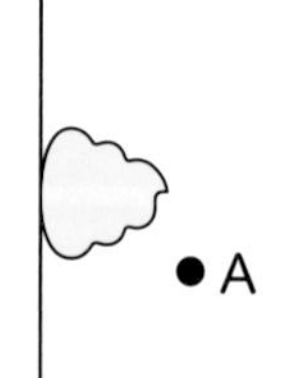

③

4 右の図で，アとイの直線は平行です。あ，いの角度を求めましょう。

あ{　　　}　い{　　　}

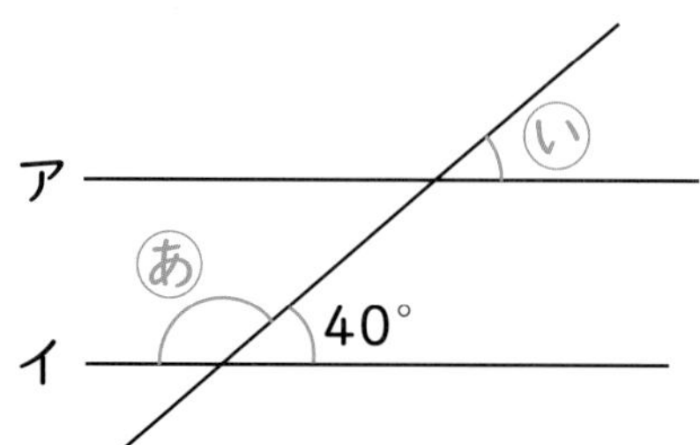

12 算数 四角形

1 長さや角度をはかって，四角形の名前を書きましょう。

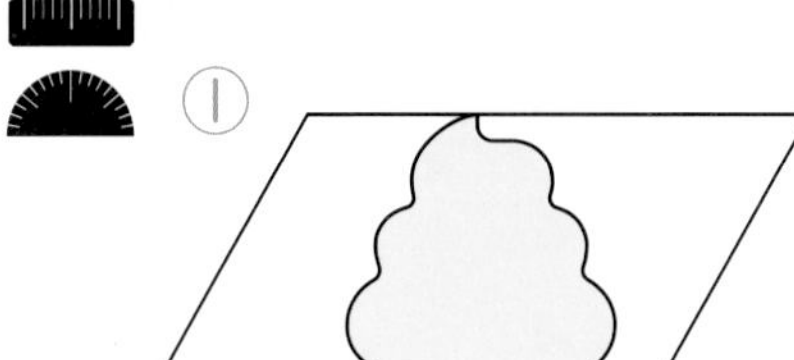
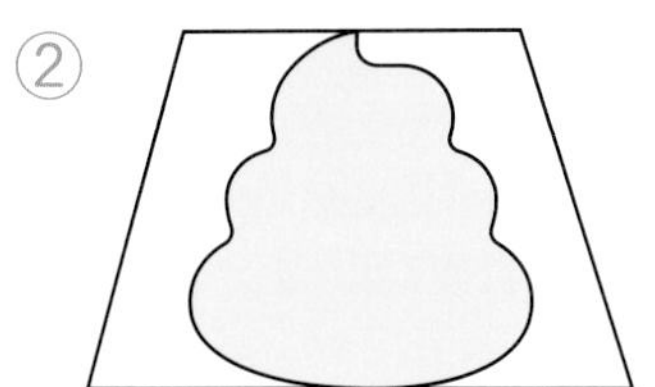

① { } ② { } ③ { }

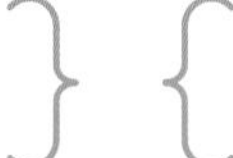

2 右の平行四辺(へん)形について答えましょう。

① あ，いの角度は何度ですか。

あ{ } い{ }

② う，えの長さは何cmですか。

う{ } え{ }

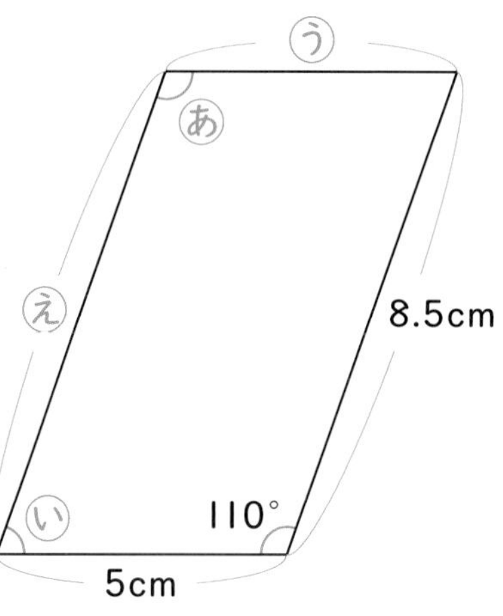

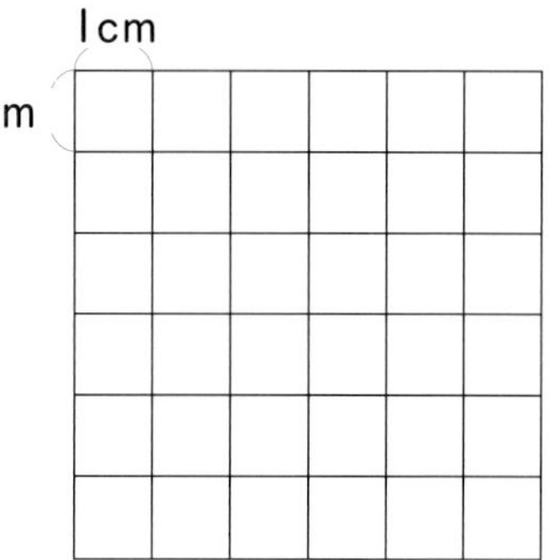

3 右の方眼(ほうがん)に，対角線の長さが4cmと6cmのひし形をかきましょう。

4 四角形の特(とく)ちょうについて，表のあてはまるところに○をつけましょう。

	長方形	正方形	平行四辺形	台形	ひし形
向かい合う角の大きさが等しい					
すべての辺の長さがいつも等しい					
対角線の長さがいつも等しい					
対角線がいつも垂直(すいちょく)に交わる					

13 算数

計算のきまり

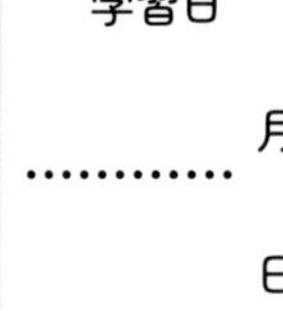

1 巨大うんこAのまわりを1周すると143秒かかり，巨大うんこBのまわりを1周すると165秒かかります。
Aのまわりを3周，Bのまわりを1周すると，あわせて何秒かかりますか。
1つの式に表して答えを求めましょう。

式

答え ＿＿＿＿＿＿＿＿

2 文ぼう具店で買い物をします。36円の赤えんぴつ1本と50円のボールペン1本を1つのうんこにさそうと思います。
うんこは19こあります。
赤えんぴつとボールペンを19本ずつ買うと，全部で何円になりますか。
(　)を使った1つの式に表して，答えを求めましょう。

式

答え ＿＿＿＿＿＿＿＿

3 計算をしましょう。

① 500－(200＋40)　　② 120÷(30－6)

③ 360－63÷9　　④ 5×6－12÷3

⑤ (8×2＋4)×5　　⑥ 99×8

14
算数

分数のたし算，ひき算

学習日
…………月
…………日

1 めちゃめちゃ目がいいおじさんがいます。
毎週土曜日に$\frac{7}{6}$時間，日曜日に$\frac{5}{6}$時間，
うんこを見つめて目をきたえているそうです。
2日間で合計何時間うんこを見つめていますか。

式

答え ______________

2 部屋（へや）のゆか3m^2のうち，$1\frac{2}{5}m^2$が
うんこまみれです。
うんこまみれではない面積（せき）は何m^2ですか。

式

答え ______________

3 計算をしましょう。

① $\frac{3}{5}+\frac{4}{5}$

② $1\frac{1}{3}+2\frac{1}{3}$

③ $2\frac{5}{9}+1\frac{8}{9}$

④ $\frac{9}{7}-\frac{3}{7}$

⑤ $3\frac{8}{11}-1\frac{5}{11}$

⑥ $4\frac{1}{5}-2\frac{2}{5}$

整理のしかた

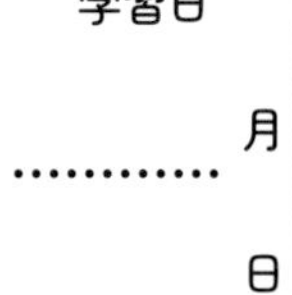

1 下の表は，うんこみんなに配るマンが1週間にうんこを配った場所と配った人についてまとめたものです。次の問題に答えましょう。

曜日	場所	人
月曜日	駅前	会社員
月曜日	駅前	主ふ
月曜日	公園	会社員
月曜日	公園	子ども
火曜日	校門の前	子ども
火曜日	校門の前	子ども
火曜日	駅前	お年より

曜日	場所	人
水曜日	図書館	会社員
水曜日	図書館	主ふ
水曜日	図書館	子ども
水曜日	校門の前	お年より
水曜日	公園	お年より
水曜日	公園	子ども
木曜日	駅前	会社員

曜日	場所	人
木曜日	公園	お年より
金曜日	駅前	お年より
金曜日	駅前	会社員
金曜日	図書館	主ふ
金曜日	校門の前	子ども
金曜日	校門の前	子ども
金曜日	校門の前	主ふ

① うんこを配った場所と配った人で分けて，それぞれの数を右の表に書きましょう。

うんこを配った場所と配った人

	会社員	主ふ	子ども	お年より	合計
駅前					
公園					
校門の前					
図書館					
合計					

② うんこを配った人で最(もっと)も少なかったのはだれですか。

{　　　　}

③ どの場所でだれに配ったうんこの数が最も多いですか。

配った場所 {　　　　}　配った人 {　　　　}

2 下の表は，駅前でうんこをもらしたかどうかについてのアンケート結果(けっか)をまとめたものです。次の問題に答えましょう。

① 先週もらして，今週はもらしていない人は何人ですか。

{　　}人

② 今週もらした人は何人ですか。

{　　}人

③ アンケートに答えた人は何人ですか。

{　　}人

うんこをもらしたかどうか

	今週もらした	今週もらしていない	合計
先週もらした	7	18	25
先週もらしていない	16	24	40
合計	23	42	

変(か)わり方

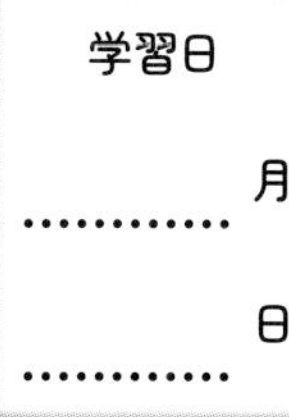

1 下の図のように，うんこを積(つ)み上げていきます。次の問題に答えましょう。

① だんの数とうんこの数を下の表にまとめましょう。

だんの数	1	2	3	4	5	6
うんこの数	1	3				

② うんこを8だん積み上げたとき，うんこの数は何こでしょう。　〔　　　〕こ

③ 55このうんこでは，何だん積み上げることができるでしょう。　〔　　　〕だん

2 次の□と○の関(かん)係を式に表しましょう。

① 長さ18mのうんこを白と黒でぬり分けたときの，白□mと黒○m　〔　　　〕

② 重さがちょうど56kgの大人(おとな)□人と同じ重さのうんこ○kg　〔　　　〕

③ 92このうんこを□台のつくえに同じ数ずつのせたときの，1台にのせた数○こ　〔　　　〕

④ まわりの長さが24mの長方形の形をしたうんこプールの，たての長さ□mと横の長さ○m　〔　　　〕

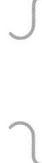

面積(せき)①

学習日 ……月 ……日

次の図形の面積(せき)は，それぞれ何cm^2でしょう。

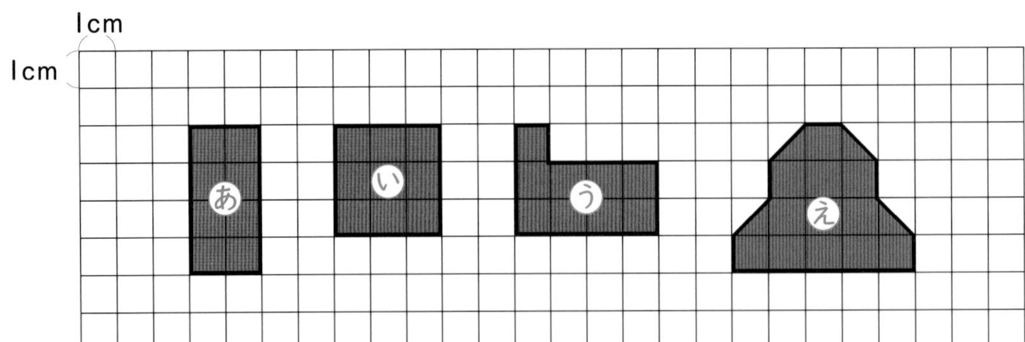

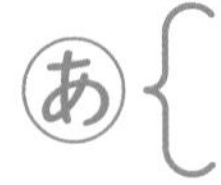｛　　　｝ ｛　　　｝ ｛　　　｝ ㋓｛　　　｝

2 次の長方形や正方形の面積を求(もと)めましょう。

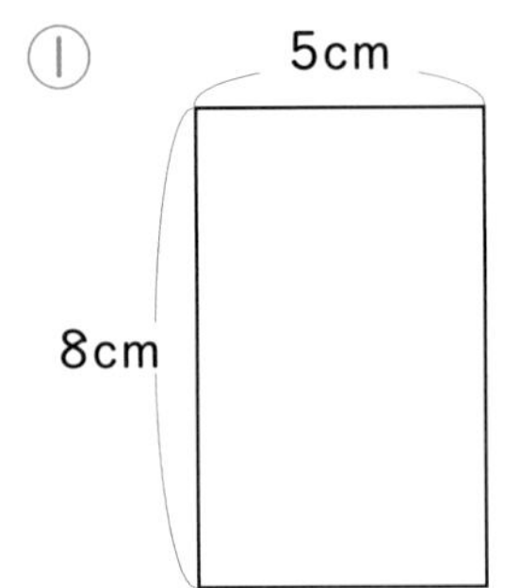

② 7cm 7cm

式

答え ＿＿＿＿＿＿

式

答え ＿＿＿＿＿＿

3 ｛　　｝にあてはまる数を書きましょう。

① $1m^2$＝｛　　　｝cm^2　② $3km^2$＝｛　　　｝m^2

③ 4a＝｛　　　｝m^2　④ 7ha＝｛　　　｝a

⑤ $6km^2$＝｛　　　｝ha　⑥ 2ha＝｛　　　｝m^2

面積（せき）❷

学習日 ……月 ……日

1 これから，1辺（ぺん）が13mの正方形の形をしたステージの上でうんこをします。
ステージの面積（せき）は何m^2ですか。

式

答え ＿＿＿＿＿＿

2 うんこの中から，すてきな長方形の紙が出てきました。
紙の面積は56cm^2で，たての長さが8cmでした。
この紙の横の長さは何cmですか。

式

答え ＿＿＿＿＿＿

3 次の色がついた部分の面積を求（もと）めましょう。

①

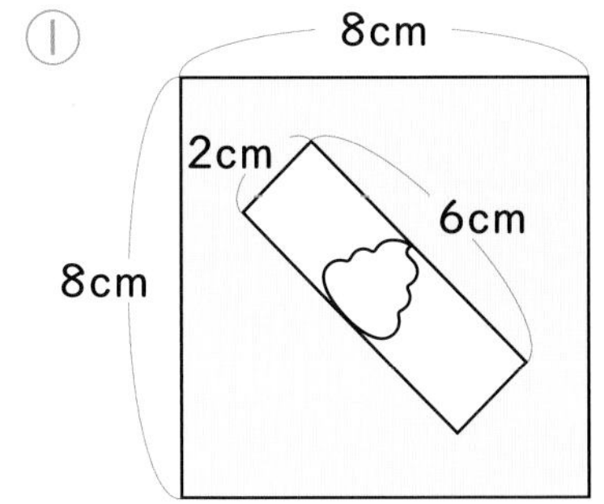

②

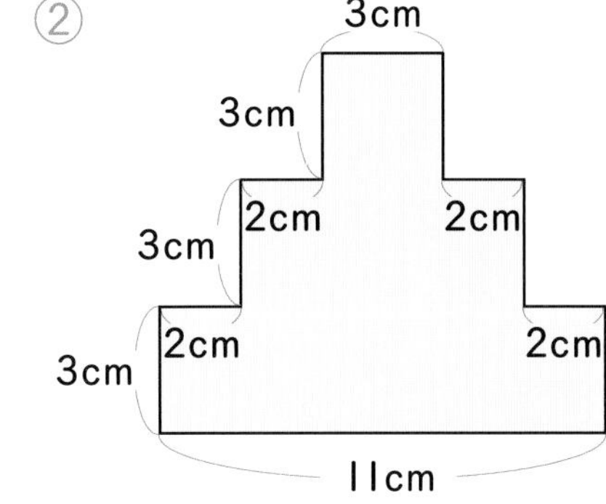

式

式

答え ＿＿＿＿＿＿

答え ＿＿＿＿＿＿

小数と整数のかけ算

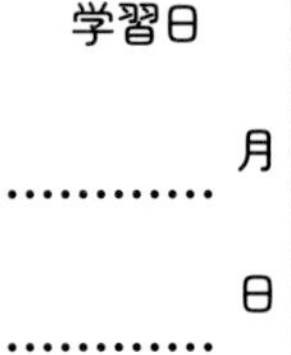

1 ロボうんこ1016号は，ココア1.9Lで1日動くことができます。
4日間動くために必要なココアは何Lですか。

式

筆算

答え ＿＿＿＿＿＿＿＿

2 うんこをぎゅうぎゅうに固めたうんこブロックは，1この重さが13.6kgあります。これからトラックでうんこブロックを65こ運びます。
重さは何kgありますか。

式

筆算

答え ＿＿＿＿＿＿＿＿

3 筆算で答えを求めましょう。

① 4.7×3

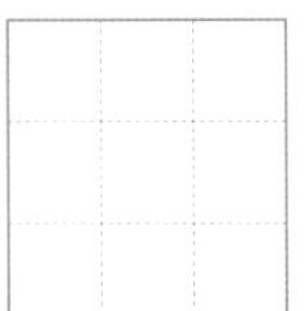

② 2.81×6

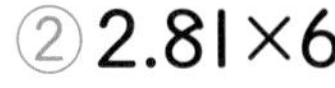

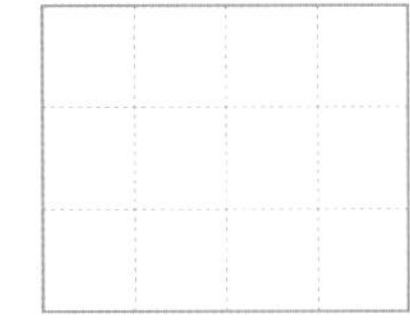

③ 3.07×9

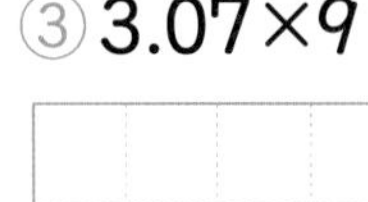

④ 0.96×5

⑤ 3.2×14

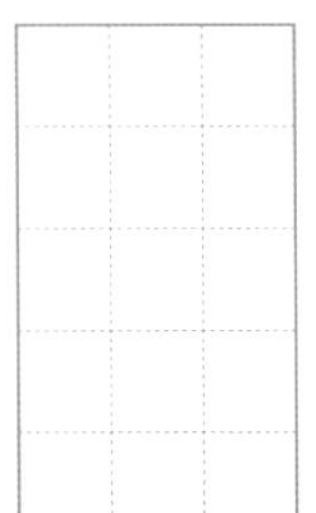

⑥ 10.5×27

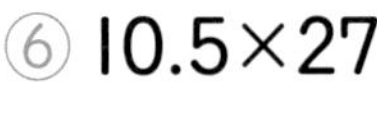

⑦ 8.63×38

⑧ 0.064×25

20 算数

小数と整数のわり算

学習日 ………… 月 ………… 日

1 うんこみんなに配るマンが，うんこ7.8kgを用意しました。6日間，毎日同じ重さずつ配りたいと思っています。
1日何kgずつ配ればよいですか。

式

筆算

答え ＿＿＿＿＿＿

2 先生が，きちょうなうんこパウダーを20g持ってきてくれました。
クラスの児童16人で等しく分けます。
1人何gずつもらえますか。

筆算

式

答え ＿＿＿＿＿＿

3 計算をしましょう。④は商を一の位まで求め，あまりも出しましょう。

① $2\overline{)7.4}$

② $9\overline{)5.4}$

③ $7\overline{)33.6}$

④ $3\overline{)73.5}$

⑤ $12\overline{)40.8}$

⑥ $48\overline{)18.72}$

⑦ $24\overline{)18}$

21 算数

倍の計算（割合(わりあい)）

学習日　　月　　日

1 ぼくは，先月9回うんこをもらしました。
お父(とう)さんは，その7倍の回数もらしたそうです。
お父さんが先月もらした回数は何回ですか。

式

答え ＿＿＿＿＿＿

2 森運(もりうん)うんこ記念(ねん)館の大人(おとな)の入場料(りょう)は2700円です。
これは子どもの入場料の6倍です。
子どもの入場料は何円ですか。

式

答え ＿＿＿＿＿＿

3 水泳教室の会員は去年200人でしたが，今年(ことし)は400人になりました。
うんこ教室の会員は去年100人でしたが，今年は300人になりました。
次の問題に答えましょう。

① 水泳教室の会員は何倍にふえましたか。

式　　　　答え ＿＿＿＿＿＿

② うんこ教室の会員は何倍にふえましたか。

式　　　　答え ＿＿＿＿＿＿

③ 会員のふえ方が大きいのはどちらといえますか。
合うほうを○でかこみましょう。

答え　水泳教室　・　うんこ教室

22 算数

直方体と立方体

学習日 ……月 ……日

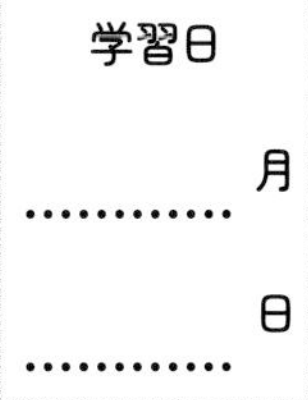

1 下の直方体について，次の問題に答えましょう。

① 辺DAに垂直な辺はどれですか。すべて書きましょう。

{ }

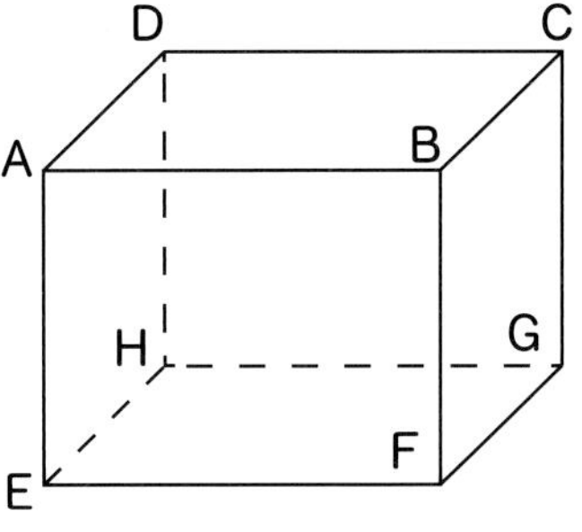

② 辺AEに平行な辺はどれですか。すべて書きましょう。

{ }

③ 面ABCDに平行な面はどれですか。また，垂直な面はいくつありますか。

平行 { }　垂直な面の数 { }

④ 辺ABの長さが6cmのとき，辺EFの長さは何cmですか。 { }

2 次の展開図を組み立てたとき，立方体ができるものをすべて選んで記号を書きましょう。

あ
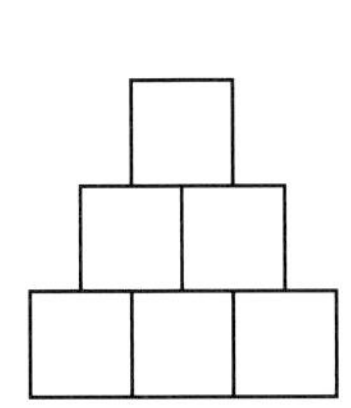

い
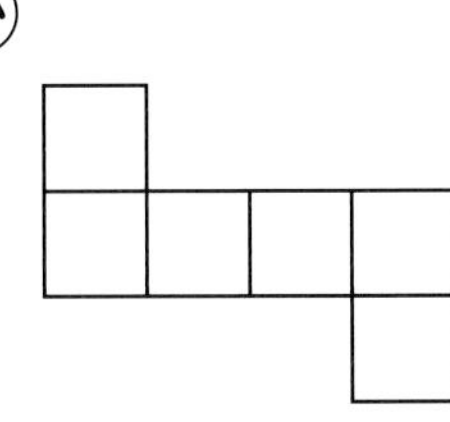

う
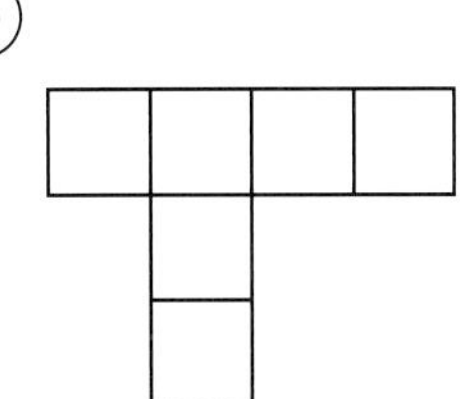

え
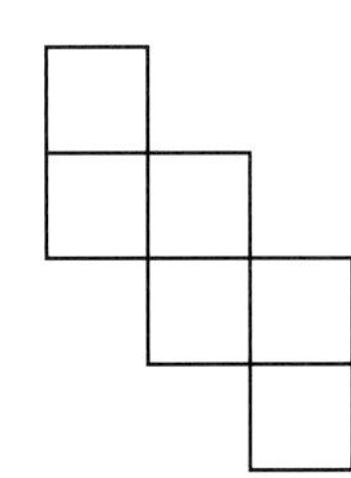

{ }

3 右の図を見て，次の問題に答えましょう。

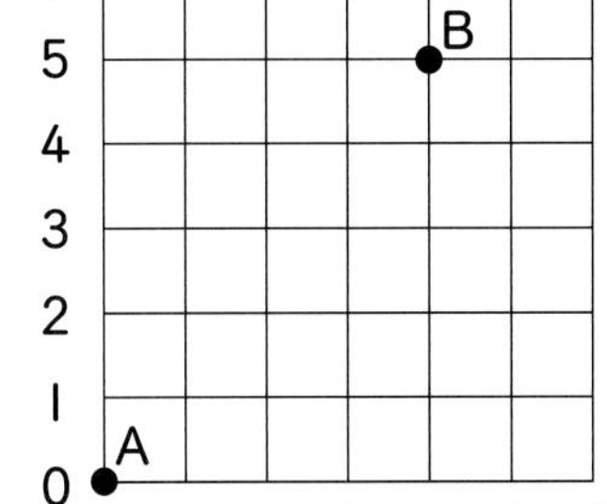

① 点A（横0，たて0）をもとに，点Bの位置を表しましょう。 { }

② 次の絵を，図の中の正しい位置にかきましょう。

あ 横2，たて6　い 横5，たて3

季節と生き物／電気のはたらき

学習日　　月　　日

1 春・夏・秋・冬の生き物のようすについて調べました。

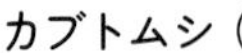
カブトムシ（せい虫）

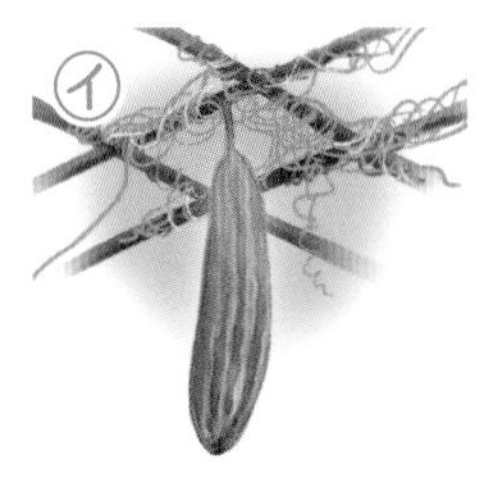
ヘチマ（かれた実）

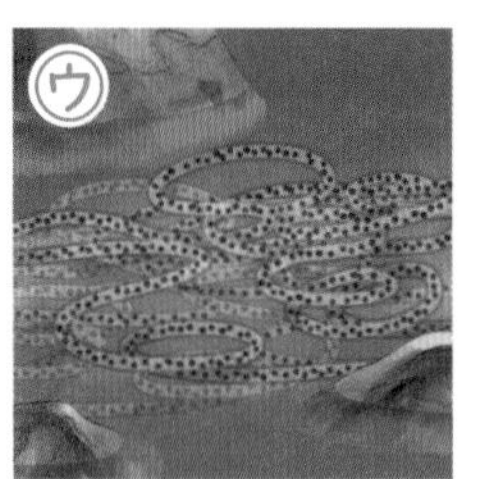
カエル（たまご）

サクラ（かたい芽）

① 春・夏・秋・冬に見られる生き物のようすはどれですか。
㋐～㋓からそれぞれ1つ選んで，｛　｝に書きましょう。

春｛　　｝　夏｛　　｝　秋｛　　｝　冬｛　　｝

② 生き物の活動がいちばんさかんになる季節は，春・夏・秋・冬のどれですか。　｛　　｝

③ ②の季節に生き物の活動がさかんになるのは，なぜですか。
合うものを1つ選んで，○をつけましょう。

｛　｝うんこがもれそうであせっているから。
｛　｝急がないと，ほしいうんこが売り切れてしまうから。
｛　｝気温が高いから。

2 図のように，かん電池2ことモーターをつなぎました。

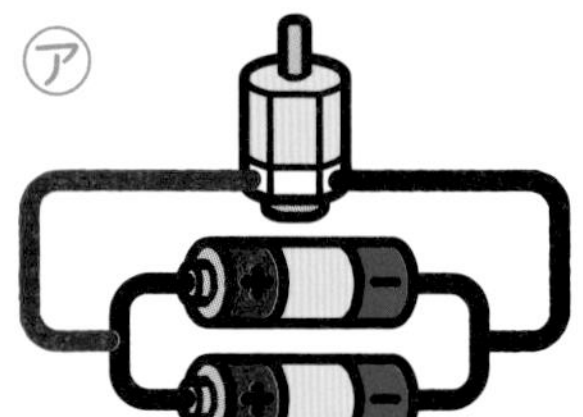
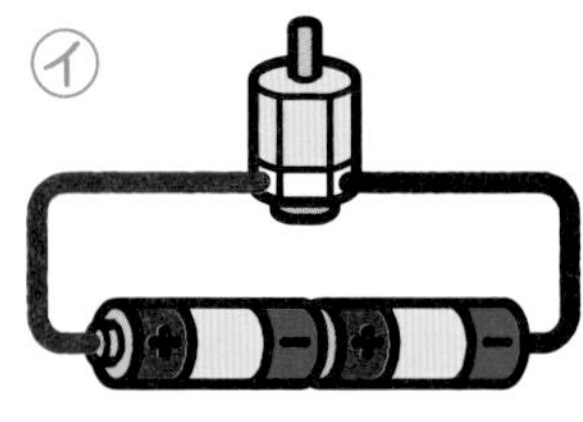

① ㋐・㋑のかん電池のつなぎ方を，それぞれ何といいますか。

㋐｛　　｝　㋑｛　　｝

② モーターが回る速さが次のようになるのは，それぞれ㋐・㋑のどちらですか。

▶ かん電池1このときより，速く回る。……｛　｝
▶ かん電池1このときと同じぐらいの速さで回る。……｛　｝

2 理科

もののあたたまり方／水のすがた

学習日　月　日

1 もののあたたまり方を調べます。

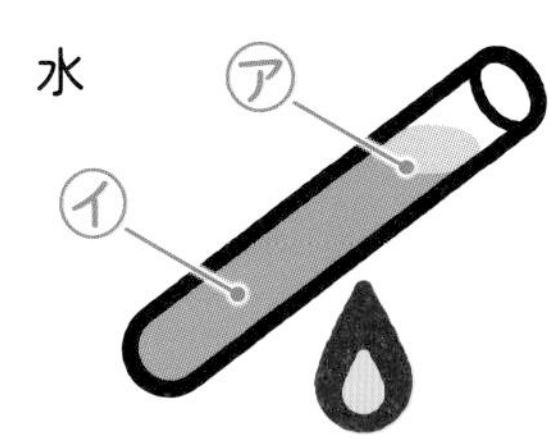

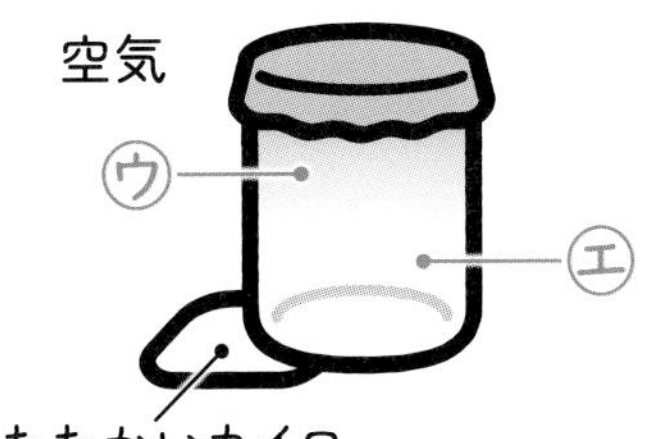

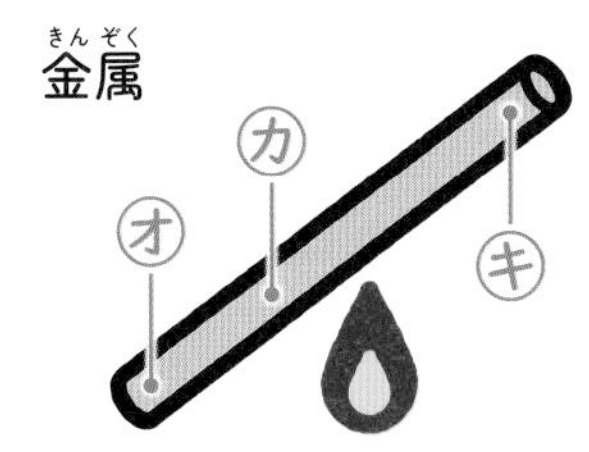

① 水をあたためたとき，はやくあたたまるのは，ア・イのどちらですか。

② 空気をあたためたとき，はやくあたたまるのは，ウ・エのどちらですか。

③ 金属をあたためたとき，はやくあたたまるのは，オ・カ・キのどれですか。

④ 水・空気・金属のうち，あたたまり方がにているのは，どれとどれですか。｛　　｝と｛　　｝

2 水を熱したり冷やしたりして，変化のようすを調べます。

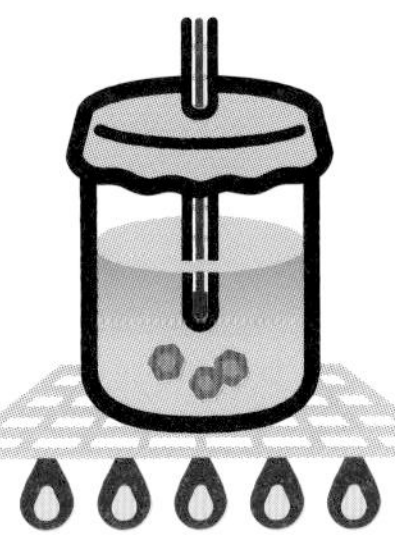

① 正しい文になるように，｛　｝の合うほうを○でかこみましょう。

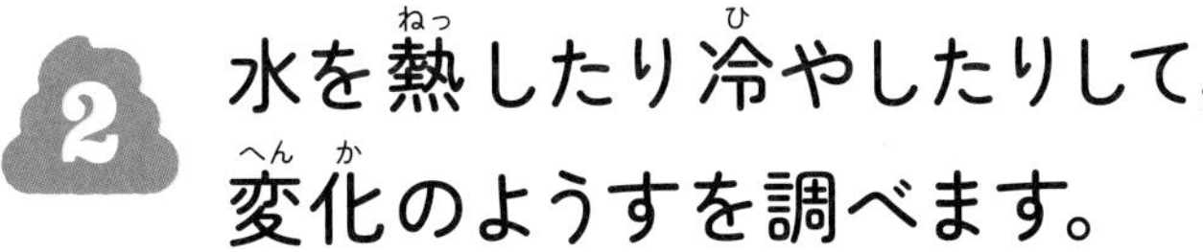

▶水がふっとうしている間，水の温度は｛ 変化する ・ 変化しない ｝。

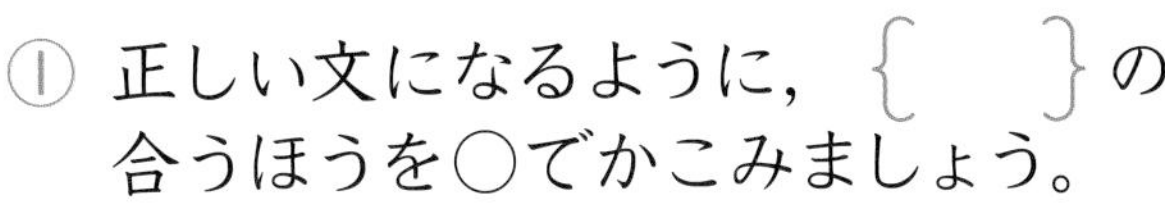

▶水がこおりはじめてからすべてこおるまでの間に，水の温度は｛ 変化する ・ 変化しない ｝。

② 水のすがたが次のようになっているときの温度は，何度ですか。

▶水がふっとうしているとき　｛　　｝

▶えき体から固体に変化するとき　｛　　｝

③ 水がじょう発して空気中に出ていくときのすがたを，何といいますか。｛　　｝

住みよいくらし

学習日　　月　　日

水を生活にとり入れる図を見て，問題に答えましょう。

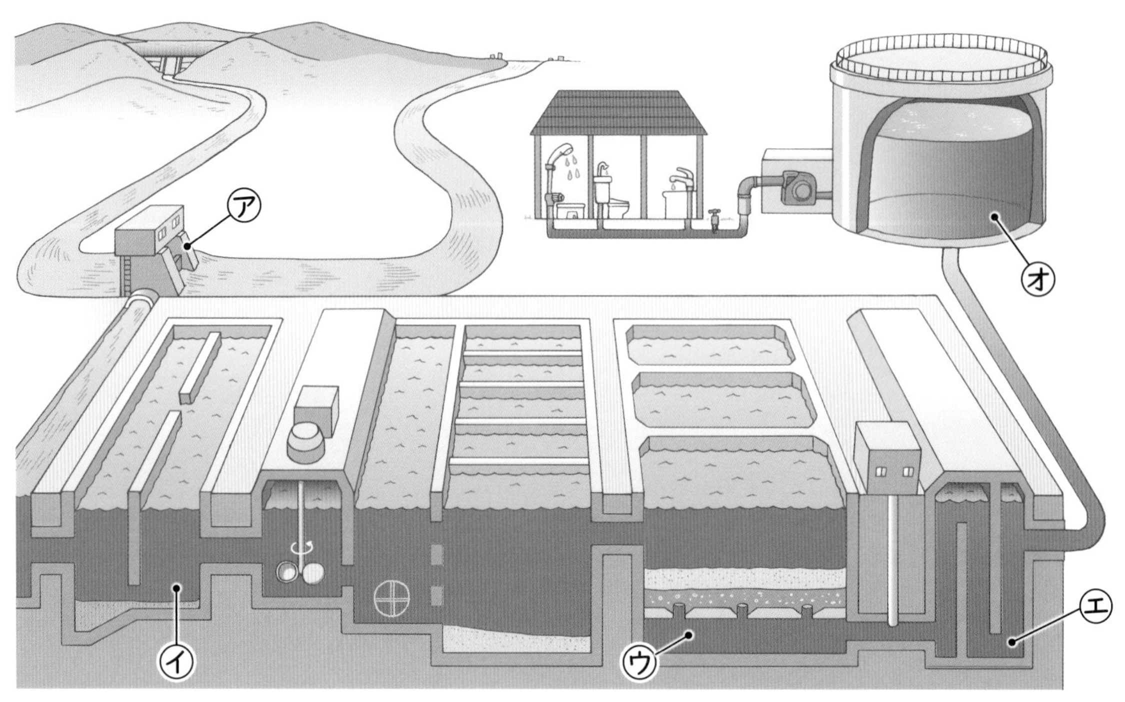

① 上の図のような，水を生活にとり入れられるようにするしせつを，何といいますか。

［　　　　　　］

② 下の文は，上のしせつのどの部分について説明(せつめい)したものですか。㋐～㋔から選(えら)んで書きましょう。あてはまるものがないときは，×を書きましょう。

- 水の中の大きなごみやすなをしずめる。……［　］
- 水にうんこの写真をうかべる。……［　］
- 地いきの家庭などに，水を送る。……［　］
- 市長のうんこをかざる場所。……［　］
- しずまなかったごみなどを取りのぞく。……［　］
- 川から水をとり入れる。……［　］
- 見つけたうんこをならべておく。……［　］
- 生活に使える水をためておく。……［　］

2
社会

わたしたちの都道府県

学習日
月
日

1 日本地図を見て，問題に答えましょう。

① あなたの住んでいる都道府県は，どこですか。
に番号を，｛　｝に名前を書きましょう。

② うんこ先生は，27の都道府県を旅行しています。
｛　｝にその都道府県名を書きましょう。

③ 次の県がある場所の番号を，に書きましょう。

▶ 岩手県

▶ 新潟県

▶ 広島県

▶ 大分県

▶ 千葉県

▶ 徳島県

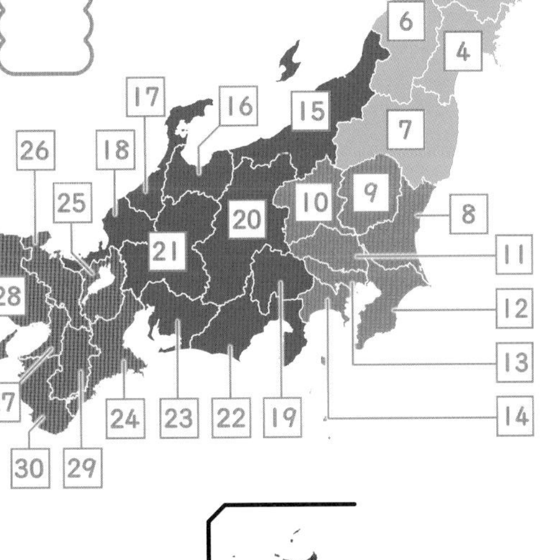

4年生のまとめ

1 筆算で答えを求(もと)めましょう。

1つ4万点 16万点

① 96÷8　② 640÷4　③ 92÷23　④ 888÷37

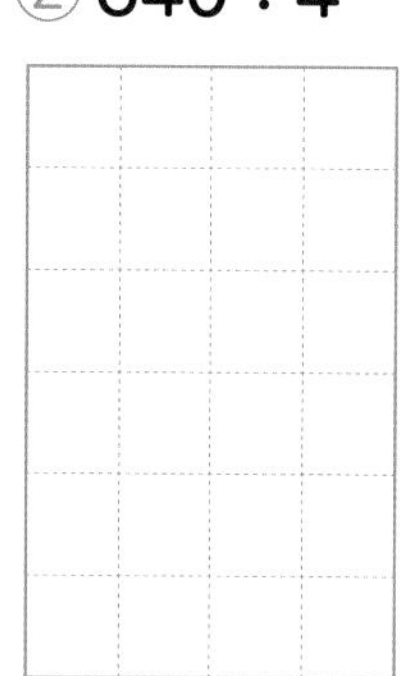
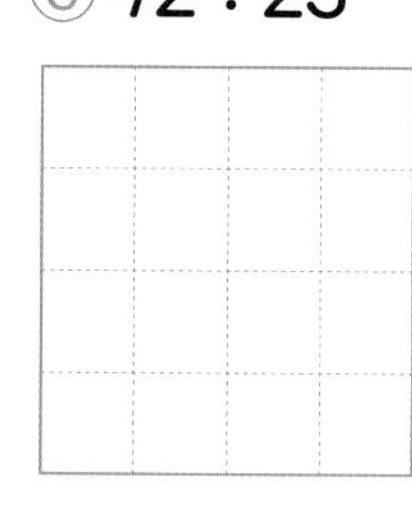

2 筆算で答えを求めましょう。

1つ4万点 24万点

① 5.07+2.94　② 6.24−3.95　③ 8−4.26

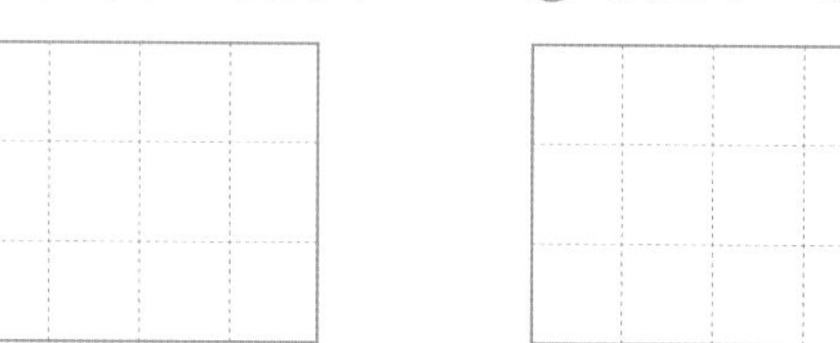
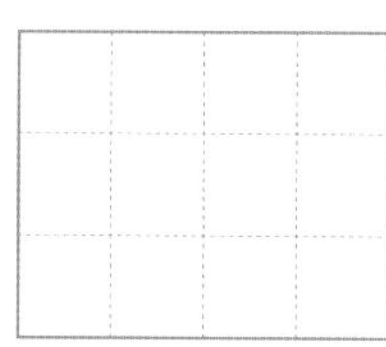

④ 11.8×35　⑤ 29.4÷7　⑥ 61.2÷18

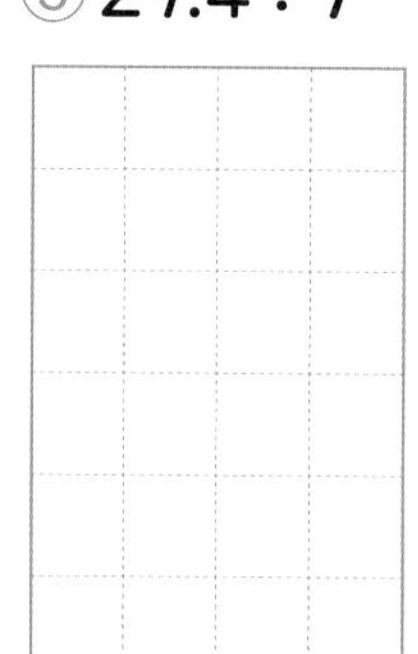

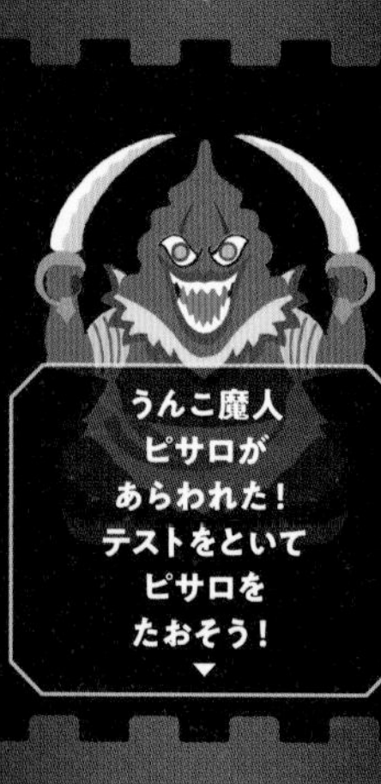

3 くふうして計算しましょう。

1つ5万点 10万点

① 4×37×25　② 8×46+12×46

4 面積(せき)を求めましょう。

1問5万点 10万点

① たて6cm，横4cmの長方形

式　　　　答え ______

② 1辺(ぺん)の長さが8cmの正方形

式　　　　答え ______

てきに
あたえたダメージの
合計は…
万点
学習日
月
日

式・答え5万点ずつ　40万点

5 島でうんこをもらしそうになっている人479人を，
船で助けに行きます。
船で運べる人数は一度に24人までです。
479人全員を運ぶには，何回島まで行けばよいですか。

式

筆算

答え ＿＿＿＿＿＿

6 昨日(きのう)，重さ5kgのうんこを足にくくりつけて
けんすいをしようとしたところ，重すぎたので，
今日(きょう)は0.92kgへらしてやりました。
今日，足にくくりつけたうんこは何kgでしたか。

式

筆算

答え ＿＿＿＿＿＿

7 地球のまわりを回っているうんこが発見されました。
このうんこは，3.65年で地球を1周(しゅう)するそうです。
7周するには何年かかりますか。

式

筆算

答え ＿＿＿＿＿＿

8 1本115円のうんこペンを4本買いました。500円出すと，
おつりは何円ですか。1つの式に表して答えを求(もと)めましょう。

式

答え ＿＿＿＿＿＿

4年生の学習は

自信(じしん)をもって5

KUBAL

配

全部できたね!!
うんこ戦
年生になろう!
終（おわり）

の映画は世界中で社会げんしょうとなるほどのヒット作になりました。

5 げんざい、かれの最新作「ジ・うんこ」が全国の映画館で上映中です。

④ 5はどんなだん落ですか。合うものを一つ選んで、○をつけましょう。

（　）4のだん落と反対の内ようを説明している。

（　）4のだん落の内ようをさらに深く説明している。

（　）4のだん落とは別の新しい話題を説明している。

2 □に漢字を書きましょう。

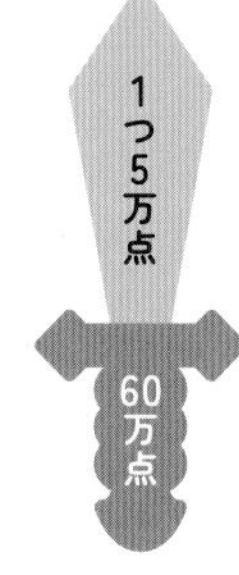

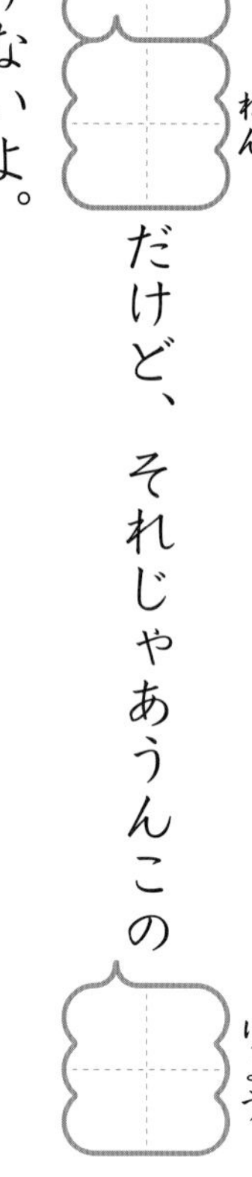

① □□（ざんねん）だけど、それじゃあうんこの□（りょう）が足りないよ。

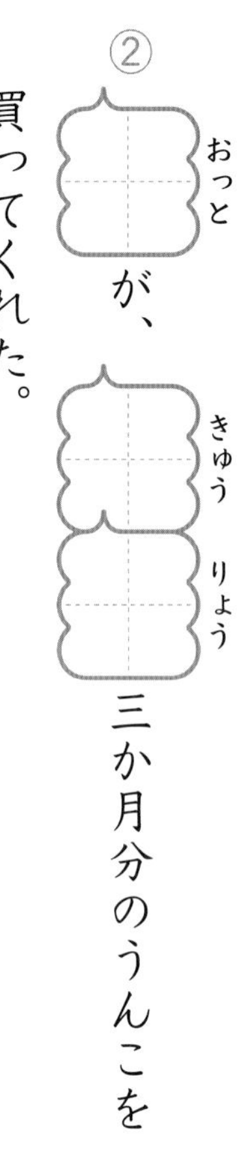

② □（おっと）が、□□（きゅうりょう）三か月分のうんこを買ってくれた。

③ かれはうんこを百こ□□（れんぞく）で□（まと）に当ててみせた。

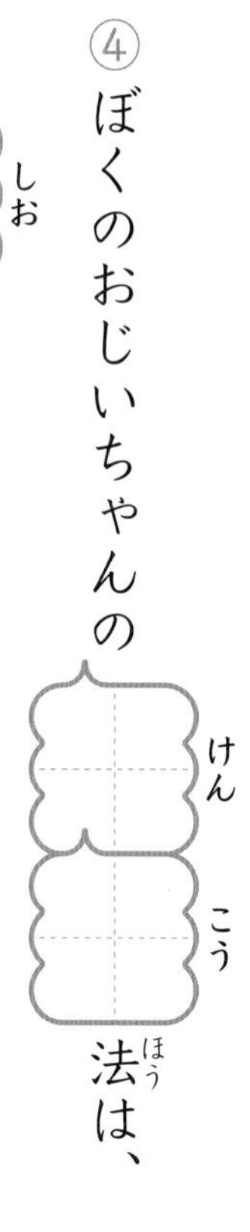

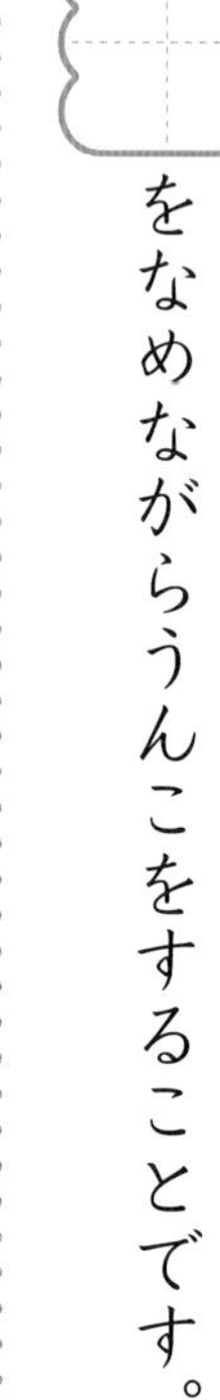

④ ぼくのおじいちゃんの□□（けんこう）法は、□（しお）をなめながらうんこをすることです。

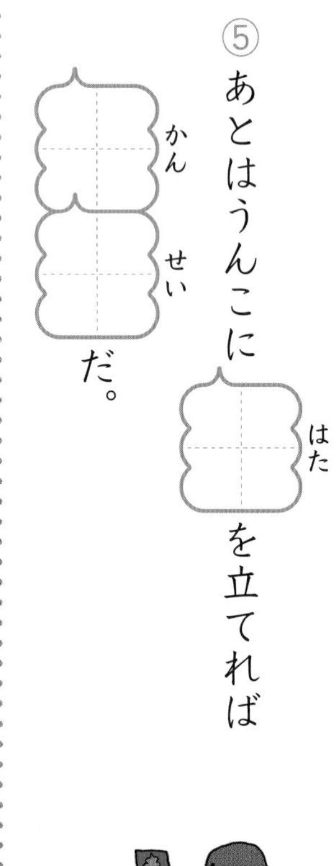

⑤ あとはうんこに□（はた）を立てれば□□（かんせい）だ。

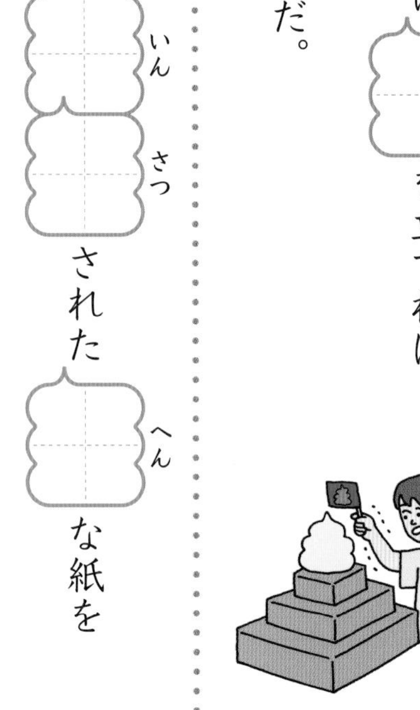

⑥ うんこの絵が□□（いんさつ）された□（へん）な紙を拾った。

テスト 国語

4年生のまとめ

うんこ魔人
ネロが
あらわれた！
テストをといて
ネロを
たおそう！

てきにあたえたダメージの合計は…

……………万点

学習日

……………月

……………日

1 次の文章を読んで、後の問題に答えましょう。

1 デビッド・ウンコかんとくは、世界で最も有名な映画かんとくの一人です。これまでに十四本の映画を作っていますが、その全てにうんこが登場します。

2 「うんこがふりそそぐ日」でかんとくとしてデビュー。三作目の「うんこ・イン・ザ・サマー」から十作目の「うんこの理由」まで、実に八本れんぞくで全米ナンバーワンヒットという記録を打ち立てました。

3 □、そこからしばらくはヒットにめぐまれない時期をすごします。

4 復活のきっかけとなったのは、自身の作品「うんこマックス」のぞく編「うんこマックス2」でした。こ

1つ8万点　40万点

① □に入る言葉を一つ選んで、○をつけましょう。

（　）だから　（　）しかし　（　）また

② デビッド・ウンコかんとくの映画作品全てに共通している特ちょうは、どんなことですか。

（　　　　）こと。

③ 次の作品名を書きましょう。

・デビッド・ウンコかんとくのデビュー作

（　　　　）

・復活のきっかけとなった作品

（　　　　）

覚えたい言葉

学習日　　月　　日

1 次の文の、――の言葉の意味に合う絵のほうに○をつけましょう。

① 平静をよそおっているが、うんこをもらしているね。

（　）

（　）

② 庭にかざっておいたうんこをぬすまれて、いきどおる。

（　）

（　）

③ うんこが登場するまで、しんぼうして待つ。

（　）

（　）
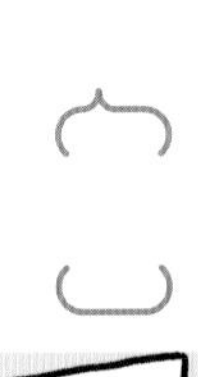

2 ――の言葉の意味に合うほうに○をつけましょう。

① 小さいころからずっと身につけていたうんこなので愛着があります。

（　）わすれてしまいたい気持ち。
（　）好きで、はなれたくない気持ち。

② 平ぼんなうんこなんてしたくない。

（　）すぐれたところや変わったところがないこと。
（　）ふつうとかなりちがっていること。

③ 「うんこナムナムうんこっこ」と唱えると天使があらわれる。

（　）指でなぞる。
（　）声に出して言う。

21
国語

読みやすい文

学習日　　月　　日

1 次の文の――を、主語に合わせて正しい言葉に直しましょう。

① 兄の特技（とくぎ）は、うんこを三秒でします。
〔　　　〕

② ぼくは、毎日うんこをみがくことです。
〔　　　〕

③ このうんこのすごいところは、羽があって空を飛（と）びます。
〔　　　〕

④ 父が、屋根の上でうんこをしているです。
〔　　　〕

2 次の一文を、意味を変（か）えずに二つの文に分けます。〔　〕にあてはまる言葉を書きましょう。

そのバスは、人間ではなくうんこをたくさんのせて走っていて、ドアに「うんこせん用」と書いてありました。

● そのバスは、
〔　　　〕

● そのバスのドアには、
〔　　　〕

詩

学習日　　月　　日

1 次の詩を読んで、後の問題に答えましょう。

ロープでPON

白茂（しらも）　紺雨（こんう）

はるか空からたれさがる
一本のロープ

とっても長くて
とっても太いあいつ

友達（ともだち）みんなでぶら下がり
いっせーのせっ

町から町へ　[1]ゆーらゆら
国から国へ　ぶーらぶら
星から星へ　[2]るーらるら

はなうたうたいながら
うんこまきちらしながら

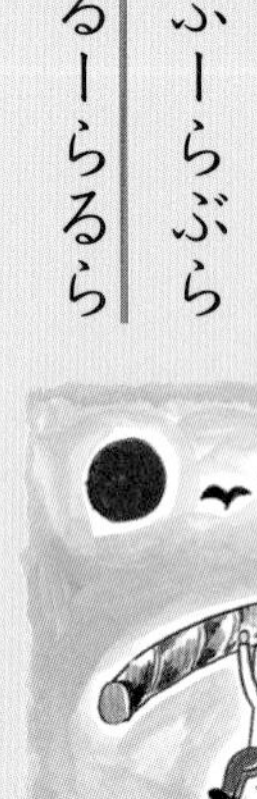

① 「一本のロープ」は、どこからのびていますか。

（　　　　　　）から。

② [1]―、[2]―はみんなのどんな様子を表していますか。

● [1]―（　　　　　　）様子。

● [2]―（　　　　　　）様子。

③ 「はなうたうたいながら」には、どんな気持ちが表れていますか。

（　）悲しい

（　）楽しい

（　）こわい

熟語(じゅくご)の意味

学習日　月　日

1 次の――の漢字の読みを（　）に書きましょう。また、熟語の組み立てを後の［　］から選んで、［　］に記号を書きましょう。

① こうなったら、うんこをするはやさで勝敗を決めよう。（　）［　］

② 良薬だと言われているので飲んでみたが、うんこが止まらなくなっただけだ。（　）［　］

③ うんこに生産者の名前が明記されている。（　）［　］

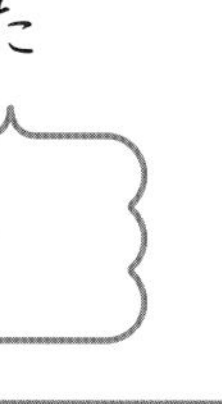

④ 飛行機(ひこうき)が着陸したしゅん間にうんこをもらした。（　）［　］

⑤ 先生が、うんこをがまんしながら出欠をとっている。（　）［　］

⑥ うんこにくわしい新メンバーが加入した。（　）［　］

㋐ にた意味の漢字の組み合わせ
㋑ 反対の意味の漢字の組み合わせ
㋒ 上の漢字が下の漢字をくわしくする関係(かんけい)の組み合わせ
㋓ 上の漢字が動作を、下の漢字が「〜を」「〜に」の意味を表す関係の組み合わせ

説明文④

学習日　　月　　日

1 次の文章を読んで、後の問題に答えましょう。

（17の続き）

1 このような実験により、うんこは、楽しい音楽や前向きな言葉を聞かせると、サイズが大きくなったり色が明るくなったりするせいしつを持っていることがわかりました。

2 その結果をもとに開発されたのが「うんこイヤフォン」です。これはうんこに付けるためのせん用イヤフォンで、人間の耳には聞こえませんが、うんこが好む周波数の音を流すことができます。うんこイヤフォンをうんこに装着しておくと、うんこがどんどん大きくなり、明るい色に変化するのです。

3 最近ではさまざまなメーカーからうんこイヤフォンが発売されていますね。うんこイヤフォンを使ってうんこを好みの大きさや色に育て、部屋にかざったり、持ち歩いて友達どうしで見せ合ったりするのが、わか者たちの間で流行しています。

① うんこにはどんな「せいしつ」がありますか。1のだん落の言葉を使って書きましょう。

楽しい（　　　　）や前向きな（　　　　）
を聞くと、（　　　　）や色が変わるせいしつ。

② うんこイヤフォンをうんこに付けると、うんこはどうなりますか。2のだん落の言葉を使って二つ書きましょう。

・（　　　　）。
・（　　　　）。

③ 3はどんなだん落ですか。合うものを一つ選んで○をつけましょう。

（　）2のだん落と反対の内ようを説明している。
（　）2のだん落の話題の続きを説明している。
（　）2のだん落とは別の新しい話題を説明している。

説明文③

学習日 月 日

1 次の文章を読んで、後の問題に答えましょう。

アメリカのうんこ学者がある実験をしました。大きさが同じ二つのうんこAとBを用意し、うんこAには悲しい音楽を、うんこBには楽しい音楽を、それぞれ一週間、聞かせてみたのです。

□、ABどちらのうんこにも反応が見られました。うんこAは大きさが二センチメートルちぢみ、うんこBは何とセセンチメートルも大きくなったというのです。

ドイツの研究者も同様の実験をしています。

こちらは音楽ではなく言葉を聞かせたのですが、一方のうんこには悪口を、もう一方のうんこには「ありがとう」「かっこいいね」など前向きな言葉を聞かせ続けました。

結果はアメリカのものとよくにています。悪口を聞かされたうんこは色が暗くなり、前向きな言葉を聞かされたうんこは、色が明るく変化したのでした。

(1) 何について書かれた文章ですか。

うんこに〔　　〕や言葉を聞かせる〔　　〕について。

(2) □に入る言葉を一つ選んで、○をつけましょう。

〔　〕しかし　〔　〕すると　〔　〕もしくは

(3) うんこの実験について、文章の内ように合っているものには○、合っていないものには×をつけましょう。

〔　〕うんこに音楽を聞かせると大きさに変化がある。

〔　〕うんこに悪口を言うとおそいかかってくる。

〔　〕うんこに「ありがとう」と言うと「どういたしまして。こちらこそありがとう。これからもよろしく。おたがいがんばろうぜ。」と返事がある。

ことわざ・故事成語(こじせいご)

学習日　　月　　日

1 次の文に合うことわざ・故事成語(こじせいご)を後の□から選(えら)んで、（　）に記号を書きましょう。

①うんこの価値(かち)がわからない者に、うんこをわたしたところで（　　）だ。

②自分のほうがうんこをもらした量(りょう)が少ないといばっているが、どちらももらしているので（　　）だ。

③時間におくれそうだが、（　　）で、近道のうんこぬまをわたらずに遠回りしていこう。

Ⓐ犬も歩けばぼうに当たる　Ⓘねこに小判(こばん)
Ⓤ漁夫(ぎょふ)の利(り)　Ⓔ五十歩百歩　Ⓞ善(ぜん)は急げ
Ⓚ急がば回れ

2 意味に合うように、（　）に入る言葉を後の□から選んで、ことわざを完成(かんせい)させましょう。

①（　　）も木から落ちる

意味　どんなに上手(じょうず)な人でも、失敗(しっぱい)することがある。

②ぬかに（　　）

意味　全く手ごたえがないこと。

③（　　）の耳に念仏(ねんぶつ)

意味　いくら言ってもきき目がないこと。

④（　　）の上にも三年

意味　続(つづ)けていれば、よい結果(けっか)が出ること。

馬・かっぱ・さる・犬・目薬・くぎ・石・山

15 国語

つなぎ言葉

学習日　月　日

1 二つの文を正しくつなぐつなぎ言葉（接続語）を選んで、○でかこみましょう。

①兄はとてもハンサムだ。
（さて・だけど）、うんこをよくもらす。

②きれいなうんこを手に入れた。
（だから・しかし）、すぐになくしてしまった。

③このうんこはとてもこわれやすいです。
（だが・ですから）、手のひらで包むように持ってください。

④家を出て一歩目にうんこをふんだ。
（そのうえ・または）、二歩目でもふんだ。

2 絵に合うように、文の続きを考えて書きましょう。

①ねている父の顔の上にナスとうんこを置いた。
だから、
（　　　　）。

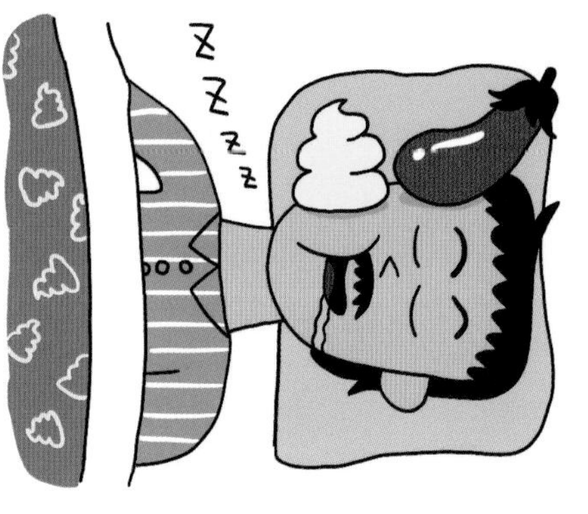

②ねている父の顔の上にナスとうんこを置いた。
しかし、
（　　　　）。

14 国語

都道府県の漢字

学習日 月 日

1 次の――の漢字の読みを、〔 〕に書きましょう。

① これは父が宮城〔　　〕県で拾ってきたうんこです。

② そういえば、まだ神奈川〔　　〕県でうんこをしたことはないな。

③ 富山〔　　〕県の美しい川の水であらったうんこ。

④ うんこを両手に持って茨城〔　　〕県から滋賀〔　　〕県まで走る。

2 □に漢字を書きましょう。

① □□（とち・ぎ）県の人がうんこについて熱弁（ねつべん）している。

② 光に包（つつ）まれたうんこが、□□（にい・がた）県の上空にあらわれました。

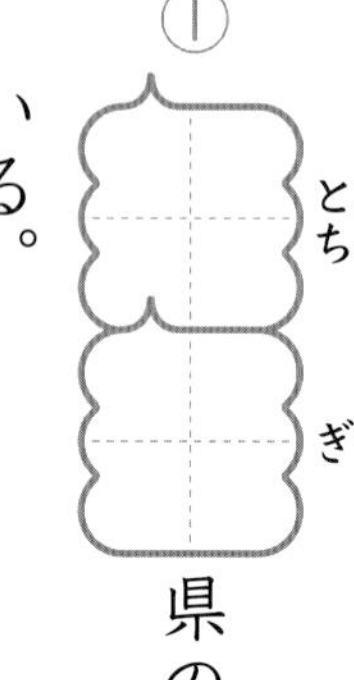

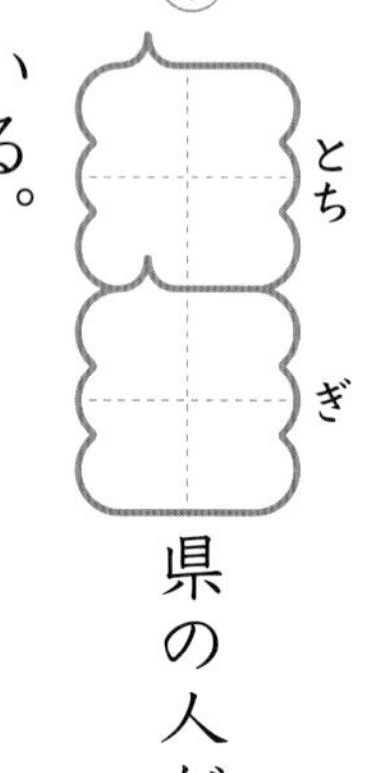

③ 最近（さい）は□□（ふく・い）県産（さん）のうんこが値上（ねあ）がりしている。

④ □□（しず・おか）県から□□（あい・ち）県までうんこをしきつめる工事を行っております。

13
国語

慣用句(かんようく)

学習日　月　日

1 正しいほうを○でかこんで、——の慣用句(かんようく)を完成(かんせい)させましょう。

① 校長先生の（さる・つる）の一声で、てんらん会のテーマは「うんこ」に決まった。

② ねこの（ひたい・しっぽ）ほどの場所に、ぎっしりとうんこが置(お)いてある。

③ そんなところで（油・だんご）を売ってないで、早くうんこをかたづけなさい。

④ 練習の成果(せいか)が（実・花）を結(むす)び、さか上がりをしながらうんこができるようになった。

2 □に体の部分を表す漢字一字を入れて、慣用句を完成させましょう。

① 兄はうんこには□がない。

意味　とても好(す)きである。

② 注文したうんこがとどくのを、□を長くして待つ。

意味　今か今かと待ち遠しく思う。

③ □がすべって、ペンギンのうんこのかくし場所を言ってしまった。

意味　うっかり言う。

④ かれにはたくさんうんこをもらったので、□が上がらない。

意味　相手が上と感じて、対等にふるまえない様子。

説明文②

学習日　月　日

1 次の文章を読んで、後の問題に答えましょう。

11の続き

少しむずかしいにぎり方ですが「ししがまえ」も覚えておいてそんはありません。

平べったくつぶしたうんこを二こ用意してください。だいたい手のひらと同じくらいの大きさまでつぶしておきます。Ａ［それ］を、五本の指をなるべく曲げないようにしてつかみます。左右両方の手で一こずつ、同じようにつかめば、「ししがまえ」の完成です。

「おどり三日月」と同じで、にぎった後にも正しい作法があります。うんこをにぎった手は顔の両側に持ってきましょう。Ｂ［このとき］、最高のえがおを作るよう心がけます。

このようにさまざまなうんこのにぎり方があるのはなぜでしょうか。それは、人々にとってうんこが身近なそんざいであり、また、うんこをにぎったときにおもしろい変化があるからだと考えられます。

① Ａの［それ］は何をさしていますか。文章中から十二字でさがして、右横に線を引きましょう。

② Ｂの［このとき］とはどんなときですか。

（　　　　　　　　　　）とき。

③ 筆者は、なぜうんこのにぎり方はこれほどたくさんあると考えていますか。最後のだん落の内ようをまとめて書きましょう。

（　　　　　　　　　　）

説明文①

学習日 月 日

1 次の文章を読んで、後の問題に答えましょう。

みなさんは、うんこをにぎるとき、どんなにぎり方をしますか？　ほとんどの人があまり深く考えずにうんこをにぎっていると思います。しかし、うんこのにぎり方には実に多くの種類があるのです。その数、およそ三億通りとも四億通りとも言われています。

ぜひ覚えてもらいたいにぎり方は「おどり三日月」というにぎり方です。ちょっと昔のにぎり方なので、Ａ**これ**を知っていると、お年寄りに「すごいね」とおどろかれるかもしれません。

まず、人さし指、中指、薬指の三本をそろえます。Ｂ**そこ**へうんこをのせ、手のひらでそっと包みます。親指と小指はのばしたままにしておきます。

これでにぎり方は完成ですが、うんこをにぎった手をゆらゆらとゆらすのが「おどり三日月」の正しい作法です。

⑴ 何について書かれた文章ですか。

うんこの〔　　　　〕について。

⑵ Ａの**これ**は何をさしていますか。合う言葉を文章中から六字で書きぬきましょう。

「□□□□□□」というにぎり方

⑶ Ｂの**そこ**はどんなところをさしていますか。

〔　　　　〕ところ。

10 国語

にた形の漢字

学習日　　月　　日

1 □に漢字を書きましょう。

① 海（かい）□（てい）でうんこができるようになるまで、最（さい）□（てい）でも十年かかる。

② 「うんこ物語」の結（けつ）□（まつ）がどうなるかは、□（み）定（てい）のようだ。

③ 母は外交（がいこう）□（かん）、父はうんこを□（かん）理（り）する仕事をしています。

④ 毎日うんこを□（あ）びていたら、けがが全部□（なお）った。

2 次の文のまちがえている漢字に×をつけて、正しい漢字に直しましょう。

例（れい）　うんこが×（で）る。　出

① 黒（くろ）いスーツの人（ひと）が、うんこのある場所（ばしょ）を安内（あんない）してくれた。

② 今月号（こんげつごう）の府録（ふろく）はマウンテンゴリラのうんこです。

③ 本屋（ほんや）で、うんこまん画（が）の単行本（たんこうぼん）を買（か）った。

④ 空飛（そらと）ぶうんこの大郡（たいぐん）が発生（はっせい）する。

同じ読みの漢字

1 □に漢字を書きましょう。

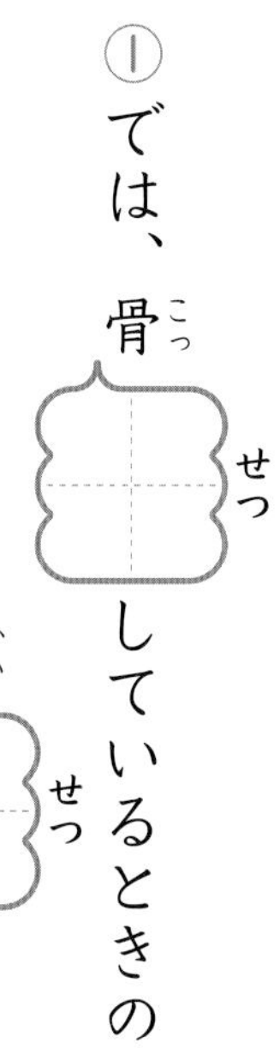

① では、骨（こっ）□（せつ）しているときのうんこのやり方を解（かい）□（せつ）します。

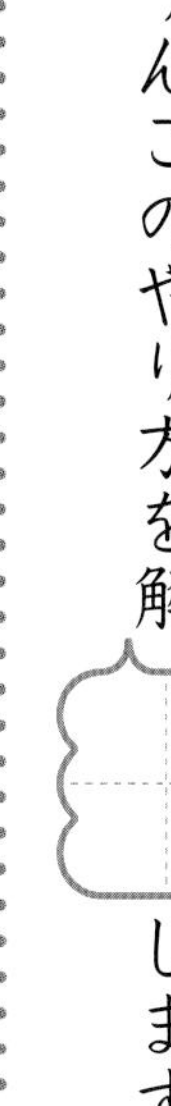

② かれの話に□（きょう）感（かん）したので、うんこさがしに□（きょう）力（りょく）した。

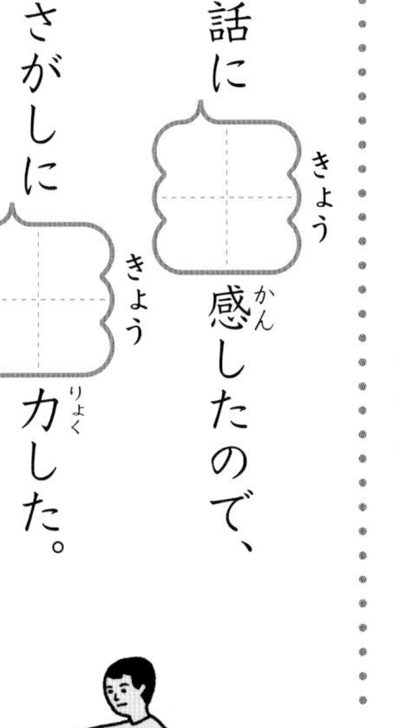

③ これは、□（れい）和（わ）二年に作ったうんこ□（れい）文（ぶん）です。

④ うんこに投（とう）□（ひょう）してくれる人をもっとふやすのが目（もく）□（ひょう）だ。

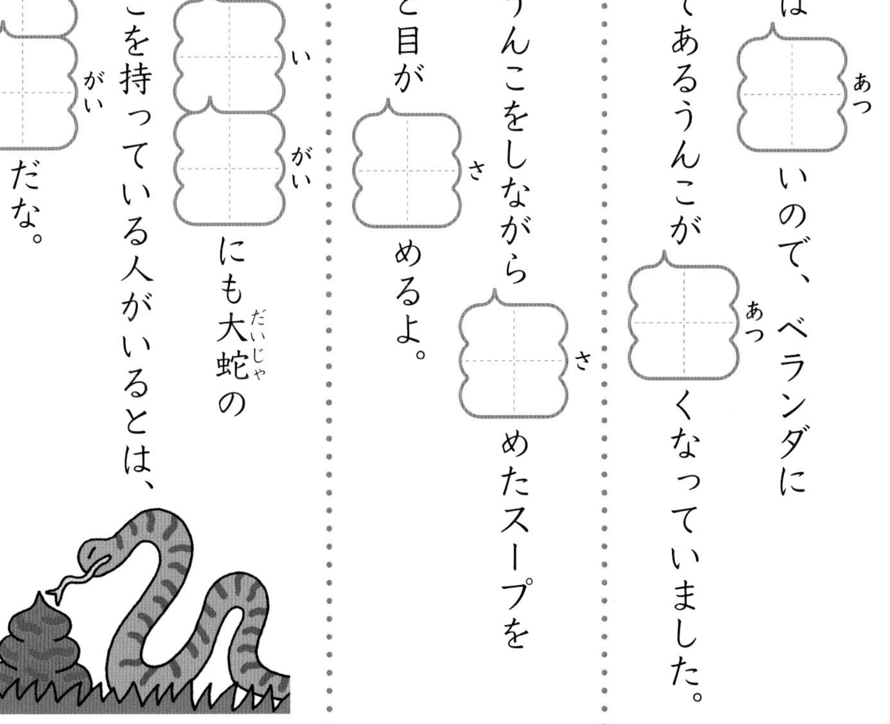

⑤ 今日（きょう）は□（あつ）いので、ベランダに置（お）いてあるうんこが□（あつ）くなっていました。

⑥ 朝、うんこをしながら□（さ）めたスープを飲むと目が□（さ）めるよ。

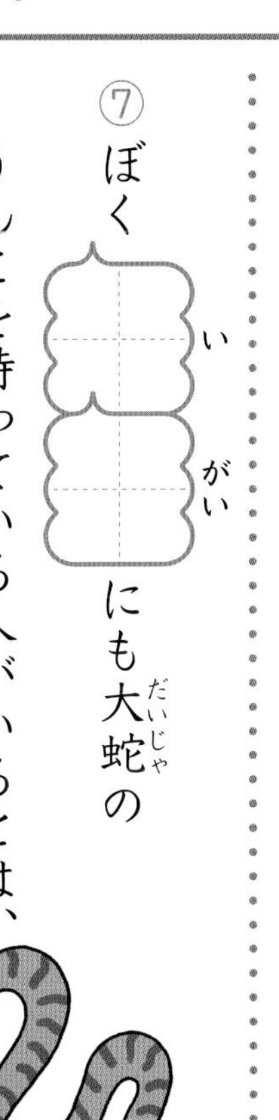

⑦ ぼく□（い）□（がい）にも大蛇（だいじゃ）のうんこを持っている人がいるとは、□（い）□（がい）だな。

⑧ となり町の□（じ）□（どう）公園に、うんこの□（じ）□（どう）はん売機（き）があるそうだ。

物語文④

学習日　　月　　日

1 次の文章を読んで、後の問題に答えましょう。

（7の続き）

「すごい！　かっこいい！」
三びきの中でいちばん大きな子うさぎがさけびました。

「声をかけたら遊んでくれるかな。」

「いやいや、おれたちみたいなふつうのうさぎ、相手にしてもらえないよ。」

「そうだよなあ。でも……。」

そんな三びきの会話が聞こえてきて、チェニーの足はまたふるえてきました。さっきはこわくてふるえていましたが、今度はうれしくて。

チェニーは木のみきの後ろから出て、三びきに声をかけました。

「ね、ねえ。ぼくも遊びに入れてくれない？」

三びきの子うさぎにかこまれて、チェニーは楽しく遊びました。

ぼくはうんさぎ。うさぎとはちがう。でもちがうからいいんだ。みんなとちがうことは、すてきなことなんだ。チェニーはパパとママの言っていた言葉の意味がやっとわかった気がしました。

① 三びきの会話が聞こえた後、チェニーはどのような行動をとりましたか。

（　　　　）から出て、（　　　　）に声をかけた。

② チェニーの気持ちはどのように変化しましたか。合うものを一つ選んで、○をつけましょう。

（　）三びきと遊ぶ前はうんさぎであることがはずかしかったが、遊んだ後もますますそう思うようになった。

（　）三びきと遊ぶ前は森に来なければよかったと感じていたが、遊んだ後は来てよかったと思った。

（　）三びきと遊ぶ前は自分の見た目を好きだったが、遊んだ後はきらいになった。

③ ――とありますが、チェニーはどんなことがわかりましたか。十四字で書きぬきましょう。

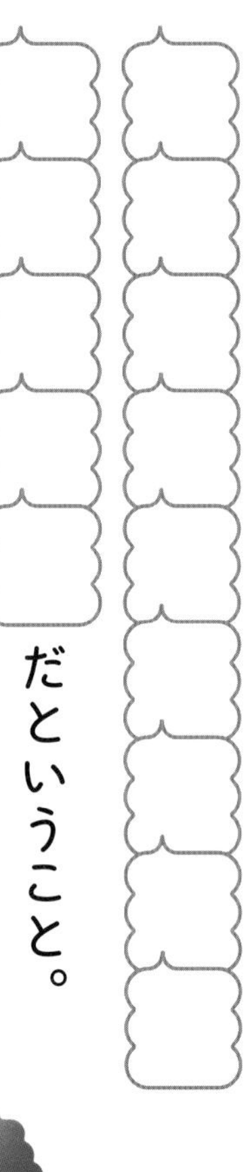

だということ。

物語文③

1 次の文章を読んで、後の問題に答えましょう。

［チェニーはうさぎではなく「うんさぎ」。お母さんがうさぎで、お父さんはうんこ。そこから生まれたのがチェニーです。］

チェニーはこの日、生まれて初めて、お母さん以外のうさぎを見ました。三びきの子うさぎが、仲良さそうに遊んでいます。

「どうしよう……ううん。」

チェニーは足がすくみました。

自分の見た目はふつうのうさぎとちがう。きっと、笑われるにちがいない。ものを投げられるかもしれない。木のみきの後ろで考えていると、

「ややっ！　なんだあの子！　うんこみたい！」

と声がしました。石の上からとび下りた子うさぎたちは、チェニーの方をじろじろ見ています。

ああ、もうだめだ。どうしてぼくは家の外に出ちゃったんだ。こんな森に来ないで、ずっと一人で遊んでいればよかったんだ。

①「ううん。」と言ったとき、チェニーはどんな気持ちでしたか。合うものを一つ選んで、○をつけましょう。

（　）自分はみんなとちがうから不安だ。
（　）何をして遊ぼうか楽しみだ。
（　）初めてお母さん以外のうさぎを見られて感動だ。

②チェニーを見つけた子うさぎたちは、どんな様子でしたか。

〔　　　　〕からとび下りて、〔　　　　〕。

③②のとき、チェニーはどんな気持ちでしたか。合うものを一つ選んで、○をつけましょう。

（　）みんながぼくにようやく気づいてくれて、ほっとした。
（　）こんなところに来なければよかったと、こうかいした。
（　）どうしてぼくが見えたのかわからず、おどろいた。

漢字辞典の使い方

学習日 ……月 ……日

1 次のようなときは、漢字辞典のどのさくいんを使って調べるとよいですか。後の□から選んで、□に記号を書きましょう。

① 漢字の読み方がわかっているとき……□
② 漢字の部首がわかっているとき……□
③ 漢字の読み方も部首もわからないとき……□

㋐ 部首さくいん　㋑ 総画さくいん
㋒ 音訓さくいん

2 漢字辞典の総画さくいんにならんでいる順に、1～4の番号を書きましょう。

① （　）牛　（　）馬　（　）羊　（　）魚
② （　）父　（　）庭　（　）多　（　）出

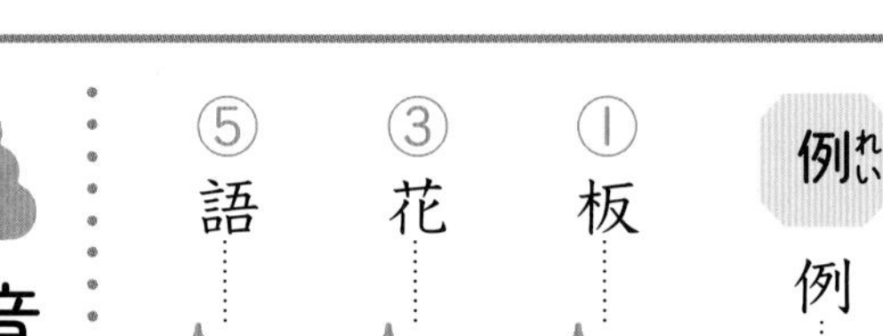

3 次の漢字の部首を□に、部首の画数を（　）に書きましょう。

例 例……□（イ）（2）画

① 板……□（　）画
② 安……□（　）画
③ 花……□（　）画
④ 紙……□（　）画
⑤ 語……□（　）画
⑥ 返……□（　）画

4 音訓さくいんで調べます。①・②にあてはまる漢字を後の□から選んで、□に書きましょう。

音訓さくいんの例

うわ 上 12	① 279	ウン 雲 818
コ 戸 302	去 177	古 215
② 231	庫 482	湖 738

① □
② □

雨　公　午　運　絵　固

うんこ

シャツ

S 小さい

M 中くらい

L 大きい

XL さらに大きい

おしゃれで あたたかい。 うんこテック

MADE IN JAPAN

UNKO TECH

1 □に漢字を書きましょう。

ついに、うんこを□□（ざいりょう）にした□□（いるい）が□□（とうじょう）しました。

その名も「うんこテック」。

うんこから作られた□□（とくべつ）な生地（きじ）を使った、とってもおしゃれな服です。

おどろきなのはその□（き）能（のう）。□□（まふゆ）の氷点下（ひょうてんか）の□□（おんど）でも、うんこテックを一まい着るだけで、全く□（さむ）さを□（かん）じません。

これからの□□（きせつ）、ぜひ、うんこテックをためしてみてくださいね。

4 国語

漢字❷書き

学習日 ……月 ……日

1 □に漢字を書きましょう。

① 体の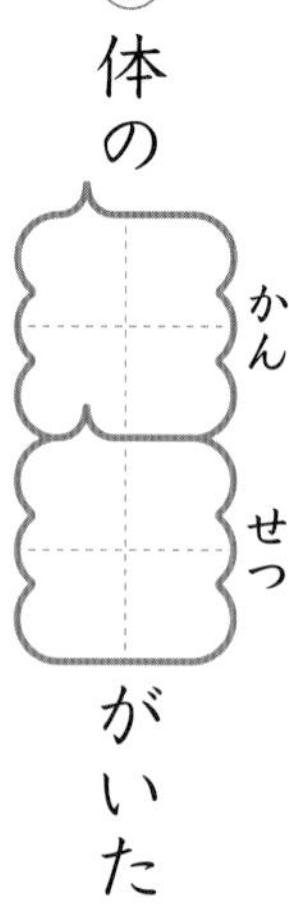［かんせつ］がいたいときは、このうんこをぬるといいよ。

② ぼくらにとって、うんこは生きる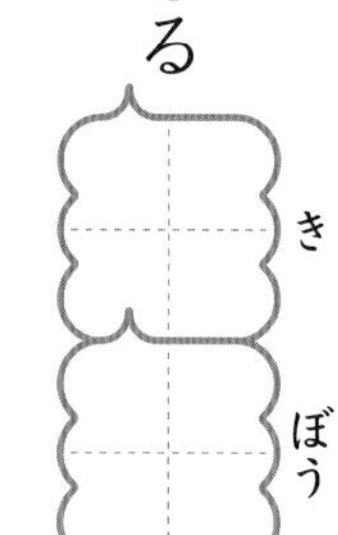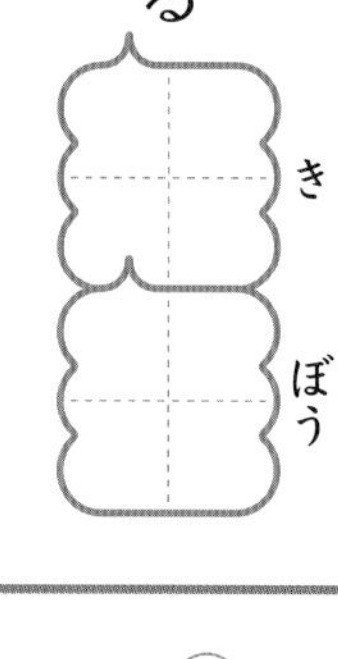［きぼう］なんだ。

③ 犯人(はんにん)が「早くうんこを持って来い」と［ようきゅう］しています。

④ うんこをもらしている方でも［しけん］に［さんか］いただけます。

⑤ うんこを持ったなぞの［ぐんたい］があらわれた。

⑥ その男は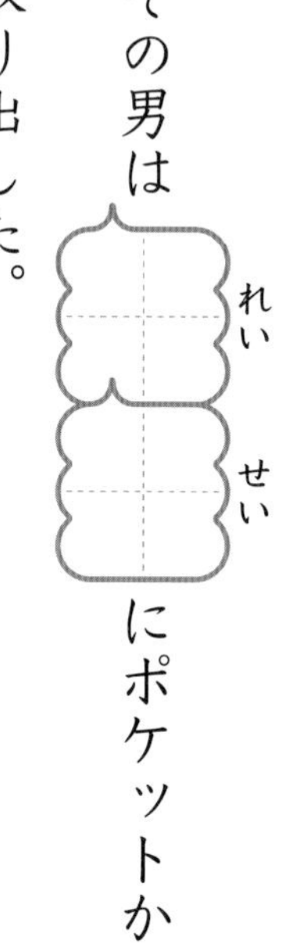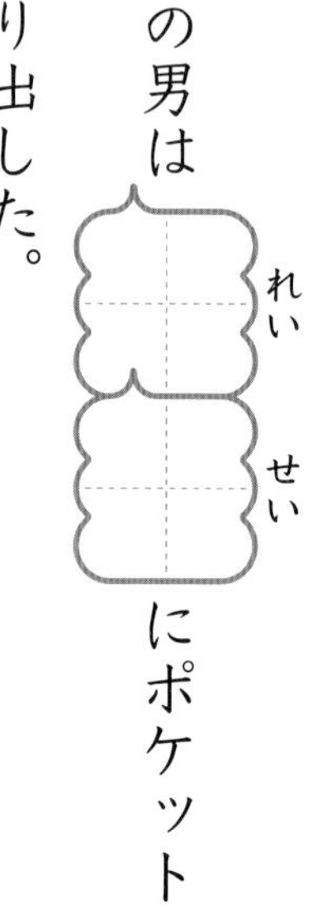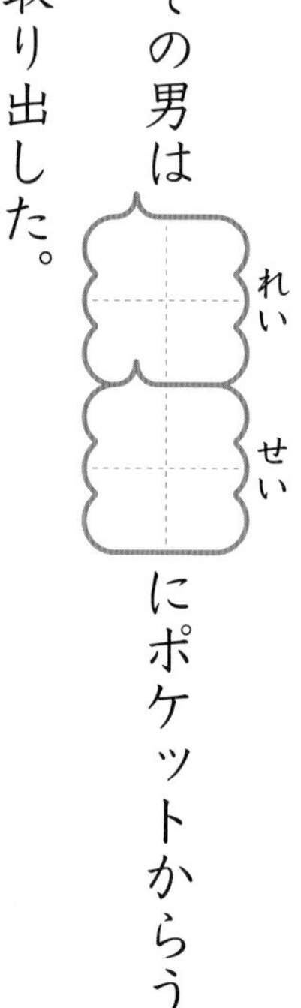［れいせい］にポケットからうんこを取り出した。

⑦ うんこに［ほうたい］をまく。

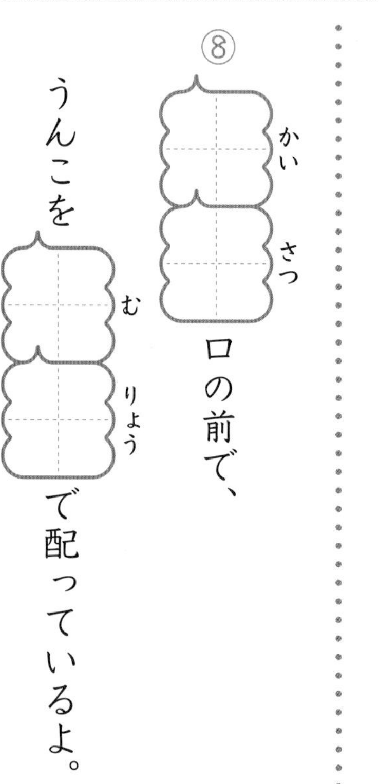

⑧ ［かいさつ］口の前で、うんこを［むりょう］で配っているよ。

漢字①読み

学習日 　月　日

1 次の――の漢字の読みを、（　）に書きましょう。

①約束どおり、父のうんこを返してもらおうか。

②ジャンプに失敗したら、うんこが全部自分にかかるぞ。

③朝顔の観察カードにうんこの絵をかく。

④選挙が行われた結果、うんこが知事になりました。

⑤そして、ぼくのうんこは伝説になった。

⑥このかばんは、うんこも持ち運べて便利だ。

⑦うんこが必要なときは、いつでも声をかけてください。

⑧周辺にあるうんこの位置がわかるレーダー。

物語文❷

学習日 月 日

1 次の文章を読んで、後の問題に答えましょう。

1の続き

海遍は雲煌を少しの間だけ道場の中庭に連れ出した。その日の夜は、星がとてもきれいだった。星空を見ながら、二人はいつの間にかえがおで語り合っていた。

「雲煌は、うんこ士を目ざしたきっかけって、覚えてるか？」

「きっかけかあ。ぼくは、小さいころにしじょうのうんこ技を見て、あこがれてしまったんだ。」

「おれも、うんこ士たちの技を見て、あこがれたんだよなあ。」

その話が終わるころには、雲煌の目は星よりもきらきらかがやいていた。

中庭から道場にもどると、雲煌は子どものころに作った「うんこ一本道」と書いたはちまきを取り出して頭にしめて、また練習を始めた。

「ありがとう海遍。大切な気持ちを思い出したよ。まだまだがんばれそうだ！」

①この文章は、どんな場面ですか。

雲煌と海遍が、（　　　）を見ながら（　　　）を語り合う場面。

②中庭からもどった後、雲煌はどうしましたか。

「（　　　）」と書いたはちまきを頭にしめて、また（　　　）。

③雲煌はどんなせいかくですか。合うほうを◯でかこみましょう。

苦しいときに、｛あきらめずにがんばる／言いわけをしてにげる｝せいかく。

物語文❶

1 次の文章を読んで、後の問題に答えましょう。

［うんこ士とは、どちらがすごいうんこ技をするかをきそい合う人々のこと。空手家や柔道家などの武道家とよくにている。］

うんこ士の雲煌は、もう三日間も道場でうんこ技の練習をしていた。どうしてもある技が覚えられずにいたのだ。その技の名前は「竜巻十文字」。体を竜巻のように回転させてうんこをする大技だ。

「体がこわれてしまうぞ。少しは休んだらどうだ。」

心配してやってきた仲間の海遍にそう説得されても、雲煌はだまって練習を続けるだけだった。

「ぼくのうんこは、このていどのものだったのか。」

雲煌の目から、熱いものが流れ出した。

「しかたない。おれも付き合うよ。」

そう言って海遍も横で同じ技の練習を始めた。

しかし練習に打ちこむ雲煌のすがたからは、いきいきとしたものが感じられず、海遍はますます不安になるのだった。

① この文章は、どんな場面ですか。

雲煌が、（　　　　）で
うんこ技の（　　　　）をする場面。

② 海遍に休むように言われた雲煌は、どうしましたか。

（　　　　　　　　　　）

③ 登場人物の行動について、文章の内ように合っているものには○、合っていないものには×をつけましょう。

（　）雲煌は、とちゅうで練習をさぼって帰った。
（　）海遍は、雲煌の横でゲームを始めた。
（　）海遍も、竜巻十文字の練習を始めた。

小学4年生 うんこ総復習ドリル

国語 目次

算数・理科・社会は反対側から始まるよ。

「うんこ総復習ドリル」の
世界を旅しながら，
わしといっしょに
復習をしていくぞい！

UNKO COMICS

おはよう！うんこ先生 1

原作：古屋雄作
漫画：水野輝昭

次のページから記念すべき第1話をお読みいただけます！

うんこ コミックス
UNKO COMICS

おはよう！うんこ先生

原作：古屋雄作
漫画：水野輝昭

発売中!!

第1話をまるごと読めるのじゃ！

今日から
うんこが担任に!?

ら新しく
担任になる
うんこ先生です

みんな早く
なれるように～

みなさん
よろしくですじゃ

無理!!!!

おつかれさま
ですじゃ

まともな先生がいねエーーッ!!

もういいよ！
絶対ふざけてる
このバカうんこ!!

ちょちょちょ

ドドドドドドド

どうなる
僕らの6年2組！

近くに本屋が
なければコチラ！

価格（本体 505 円+税）
ISBN 978-4-86651-279-2

読む順番

矢印の順番に読んでください

↓ ではここから！『おはよう！うんこ先生』第1話 スタートです！

2

ボクらが
先生と出会ったのは…

8月31日

あっちぃ～

あ～
あっちぃなァ

あつい…

夏休み最後の
暑い日のことだった――

もう
市営プールも
やってないしなァ…

あれは…

ポヤ～ン

ん？

あんなところに
でっかい
ソフトクリームが!!

おお！

だだ

登場人物紹介

うんこ先生
ある日とつぜん主手山小学校6年2組にやってきたナゾの先生！

月見里たつき
主手山小6年2組の男子。
うんこが担任なんてイヤだ！と主張するが…？

田中ともひこ
通称トッコ。たつきといつも一緒に遊んでいる。

3

どー――ん

うんこ???

しかも服きてる…

ハァ
ハァ
ハァ

なんだよ
キモチ悪い…

帰ろ帰ろ

あー
ちょっとちょっと
きみたち

しゃべったね…

このあたりに
主手山小学校という
学校はないかのう

！

ボクたちの
小学校だ…

そんな
学校
知らないなァ

えっ

あー
それな…

スッ

4

9月1日
主手山小学校
はーーい! みんなーー
……
いこういこう
お…おい たつき どうして
いやァ だって 見るからに やばいってアレ うんこだよ
まぁ たしかに
産休のタチバナ先生にかわって
今日からこの6年2組に新しい先生がいらっしゃいます!
イケメン
校長
おっ! 新しい先生だって!!
わくわく
かっこいい先生だといいなァー
じゃあ
先生どうぞ!
ガラッ

5

はい おはようございまーす!
どーーーん
うんこ!!!!
こちら新しく担任になるうんこ先生です
うんこという以外は普通の先生と同じなので
みんな早くなれるように~
みなさんよろしくすじゃ
無理!!!!
じゃあ私は日焼けサロンに行くのでこれでー
先生あとよろしくおねがいします
おつかれさまですじゃ
まともな先生がいねェーーッ!!
さぁ
というわけなんじゃが…
まずは先生の…
ちょっと待ってよ!
ガタッ

6

なんでボクたちのクラスだけ先生がうんこなんだよ!
小学生だからってバカにしてるっ!!
ズバッ
うんこが授業なんてできるわけないじゃんか!
うーん きみはハッキリものを言う子じゃなァ
えーと 名前は…
月見里
月見里くんか
……!
ボ…
…っと わしの自己紹介の途中じゃったな
先生の名前は…
カッ
どぉーーーん
先生
うんこだけど実はちゃんとしてる先生なのかも…!
ボクの名前をまちがえずに一発で読めたッッ
こんな先生はじめてだ…!!!

7

「うんこぶりを」と言います
うんこぶりを
キラーン
こいつ絶対ふざけてるよネ
アーッハハハハ
うんこぶりをだってよーー!
なんだその名前おかしすぎるぜ!
……
笑っていいんかのう
!
人の名前で…
うんこぶり
人の名前で笑ってもええんかのう?
ずいっ
ん? きみはそういう風にこれまで教わってきたんか?? ん?
ちけェ
えーと…
田中

8

田中くん…
ブブッふっう!!!
ぶばっ
たなかて!!
失礼な奴だな!!!
ところできみたちは…
コホン
昨日わしにウソをついたのう
?
あ
そんな学校知らないなァ
えっ
そういえば…!!
!!
あ…あやしい…
わしが…
わしが困っとったのに学校の場所を教えてくれんかった…
困っとる人には親切にせんといかんじゃろ?
だ…だって
怪しかったからだよ!!
あんなとこにうんこなんか座ってたら逃げるに決まってるじゃん!!!

9

ただうんこってだけじゃろ…???
ガーーン
それで十分だ!!!!!
うーむどうも日本は遅れとっていかん
もう海外では人とうんこは半々くらいなんじゃが…
ぶりっ
ピキキッ
さらっとうそをつくな!!!
まぁええ!! とにかくわしはうんこじゃがちゃんとした先生なのじゃ!!
わしが担任になったからには…
きみらを
ナンバーワンにしちゃうのじゃぞい!!!!
くるっ
ナ…
ナンバーワン…!!!
本当に…??
もちじゃッ!! わしには見えるぞい!
きみらがこの町…いや!
この県…いや!
この日本でナンバーワンの…

10

おすもうさんになっとる姿が!!!!
ワー ワー
なぜ!!!!!!?
もういいよ! 絶対ふざけてるこのバカうんこ!!
ドドドド
ちょちょちょ
ふつうの先生がいいよ! 校長先生に言いに行こう
待ってくれ 待ってくれ!!
ゾロゾロ
わしを先生として認めるかどうか…
これを見てから判断してほしいのじゃ!
ぐ…
ふつうの先生には…絶対にこんなことできんぞい!!
ぐぐぐ…
おおお~~~!!!

11

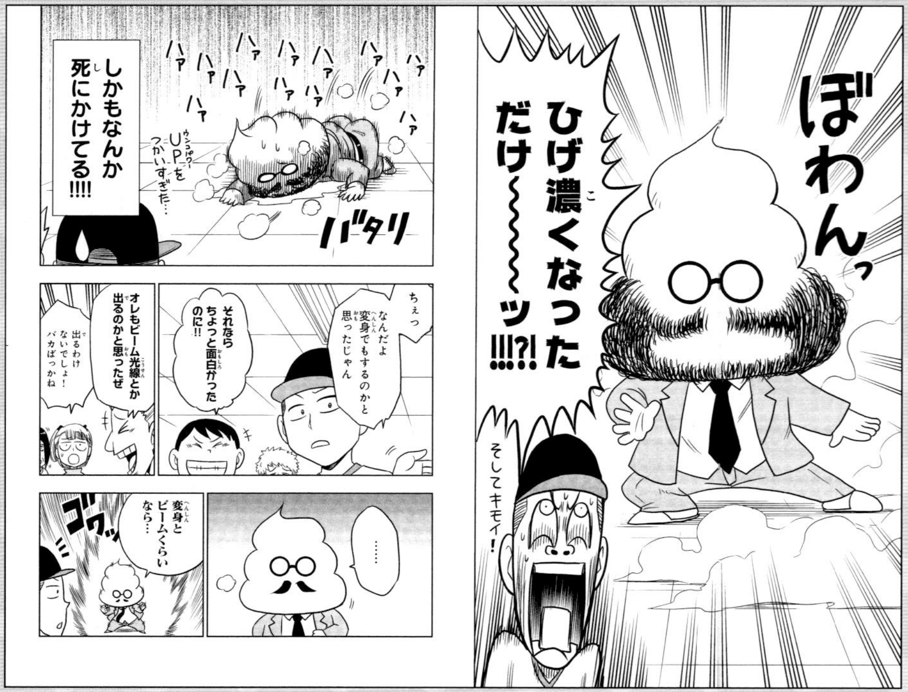

ぼわんっ
ひげ濃くなっただけ~~~~ッ!!!?!
そしてキモイ!
ちぇっ なんだよ変身でもするのかと思ったじゃん
それならちょっと面白かったのに!!
オレもビーム光線とか出るのかと思ったぜ
出るわけないでしょ! バカばっかね
……
変身とビームくらいなら…
ゴワッ
ハァ ハァ ハァ ハァ
UPをつかいすぎた…
バタリ
しかもなんか死にかけてる!!!!

12
ブワーン!!
ビュッ
どがあん
こんなんでええなら…
ひゅん… 
13
バカ男子!!!
キラ キラ キラ キラ キラ
絶対おかしい!
こんなふざけてる先生ダメだよ!
……
何で先生がふざけてたら
いかんのじゃ?
もうっ! 何してるのよ!!
ペシコン ペシコン
てっ!
いかんいかん なんかペースにハメられてる!
ふり ふり
……
えッ!?
だ…だって先生だろ!? 先生はちゃんとしてて
ボクたちに勉強を教えるのが仕事だ!
ふーむそうか 先生ってちゃんとしとらんとダメかいな?
当たり前だろ! 
14
「先生とはこうでないと」
「勉強はまじめにやらないと」
「男は強くないと」
「女はお料理ができないと」
誰がそんなの決めたんじゃ?
もともとそんなルールないのに…
勝手に息苦しくしとらんかい??!
「みんながこう言うから」じゃなくて自分の頭で考えてみること
わしはそれが一番大事だと思うぞい!
先生…!!
たしかにそうだ ボクたちはいつのまにか大切なことを忘れていたのかもしれない!
なんか…うんこが先生でもいいような気がしてきたよ!
気軽に「うんこ先生」と呼んでくれい
うんこ先生～!!
ありがとなのじゃ!
では…
コホン
さっそくじゃが授業を始めてもええかの
うん!!
ほんじゃ最初の授業は… 
15
すもうじゃ!!
なんでなの!!!!!
がっ ぷり
すもうをとりながらボクは思った…
次はわしが相手じゃ
この先生うんこだけど…
いちについて
いやそれ別の競技!
どーーん
けっこう面白いかも!
〈おはよう！うんこ先生・第1話／おわり〉

うんこドリルセット購入者限定!

学習に役立つ 特別ふろく付き

⬇ ご購入は各QRコードから ⬇

	小学1年生	小学2年生	小学3年生
漢字セット	漢字セット 2冊 かん字/かん字もんだいしゅう編	漢字セット 2冊 かん字/かん字もんだいしゅう編	漢字セット 2冊 漢字/漢字問題集編
算数セット	算数セット 3冊 たしざん/ひきざん 文しょうだい	算数セット 4冊 たし算/ひき算/かけ算 文しょうだい	算数セット 4冊 たし算・ひき算/かけ算 わり算/文章題
オールインワンセット ＼全部入り!／	オールインワンセット 7冊 かん字/かん字もんだいしゅう編 たしざん/ひきざん/文しょうだい アルファベット・ローマ字/英単語	オールインワンセット 8冊 かん字/かん字もんだいしゅう編 たし算/ひき算/かけ算/文しょうだい アルファベット・ローマ字/英単語	オールインワンセット 8冊 漢字/漢字問題集編/たし算・ひき算 かけ算/わり算/文章題 アルファベット・ローマ字/英単語

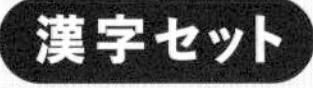

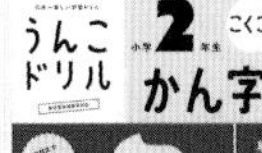

※セットによって特別ふろくの内容は異なります。

遊び感覚だから続けられる！

日本一楽しい学習アプリ

わしもさっそくやってみるぞい！

無料体験版

わからなくても正解できる！

まずはトライ！ あれ？ この問題、なんとなくわかる！

すごい！ 練習は全問正解！ 自信がついて、レベルもアップ！

答えは最初と同じ、でも少しだけなやむ問題

さあ本番、偉人と対決！ この問題… 答えはすでに学習済み！

実は3回目！ だからこそわかる問題！

復習も楽しくちょう戦！ もう完ペキ！

もりもり遊んで力をつけて、さあ次のステージへ！

単元にそった学習

確認テスト

復習と集中力の特訓

復習と成長の確認

がんばるともらえるうんこグッズも！

くわしい内容や費用はこちらから

小学3年生〜6年生対象

※本サービスは予告なく変更する場合がございます。

うんこドリルシリーズ

日本一楽しい学習ドリル

うんこ総復習ドリル

小学4年生

国語

答えとアドバイス

別冊

わかりやすい縮刷解答！

しっかり答え合わせしよう！

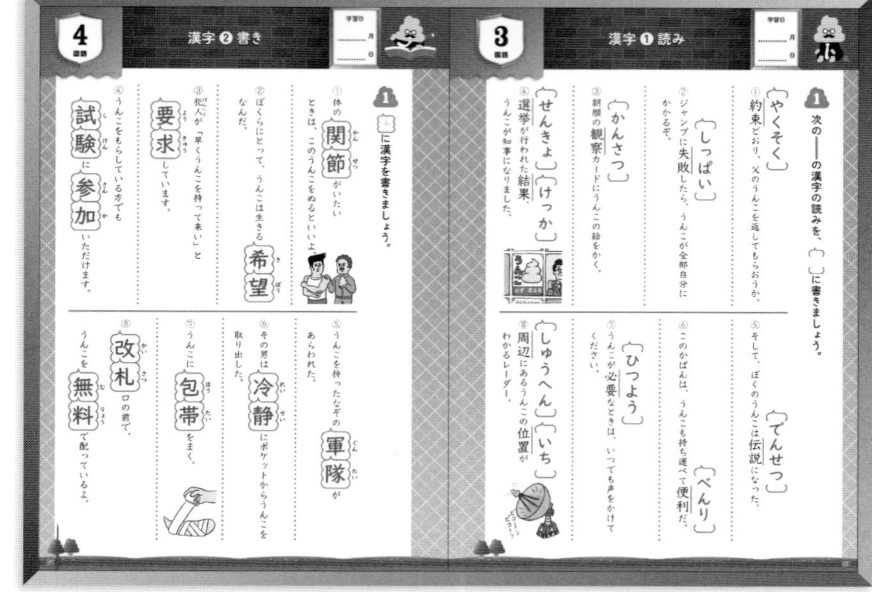

3 1 四年生で学習した漢字の読み問題です。

「約束」「失敗」「便利」「必要」など、どれも毎日の生活でよく見る、よく使う言葉の漢字です。しっかり読み書きできるようにしましょう。

4 1 四年生で学習した漢字の書き問題です。

① 「関節」の「関」には「カン」「せき」「かか-わる」の読み方があります。同じ「カン」と読んで形がにている「間」を書かないように気をつけましょう。

⑥ 「冷静」は、「気持ちが落ち着いていて、あわてないこと」という意味です。

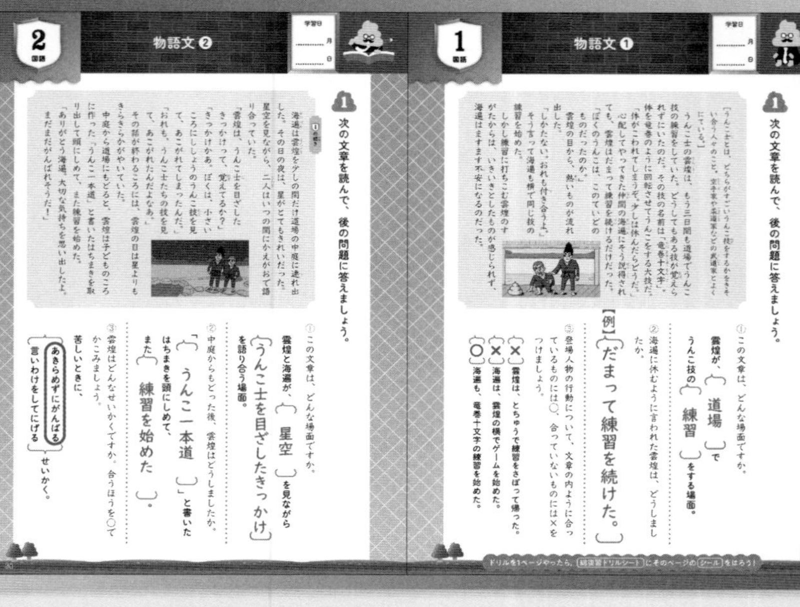

1 1 ① 物語の読み取りでは、まずどんな場面なのかをつかむと話の内ようがとらえやすくなります。

③ 文章をよく読んで、登場人物の行動をとらえましょう。雲煌は、三日間ずっと「竜巻十文字」の練習を続けていました。そんな雲煌を見て、海遍は同じ技の練習を始めました。

2 1 ① 海遍が雲煌に「雲煌は、うんこ士を目ざしたきっかけって、覚えてるか？」と話を切り出し、二人できっかけについて語り合っています。

③ 雲煌は、海遍と語り合った後に、はちまきをしめてまた練習を始めています。雲煌は、苦しくてもあきらめずにがんばるせいかくだといえます。

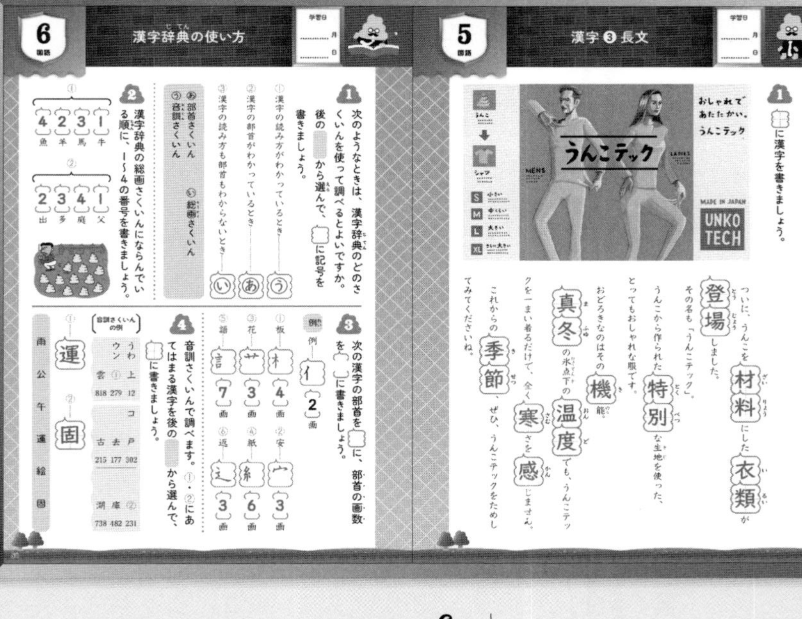

5 **1** 長い文章を読んで、合う漢字を書く問題です。

漢字を書いたら、文章を読んで、書きわすれているところはないか、意味がちがう漢字を書いていないかなどをたしかめましょう。

「材」を「林」、「類」を「頭」や「顔」などと書かないように気をつけましょう。

6 **3** 漢字辞典の部首さくいんでは、部首が画数順にならんでいます。問題文をよく読んで、部首とその画数を書くようにしましょう。

4 音訓さくいんでは、同じ読み方の漢字が画数順にならんでいます。

①は「ウン」と読む漢字を、②は「コ」と読む漢字をさがして書きましょう。

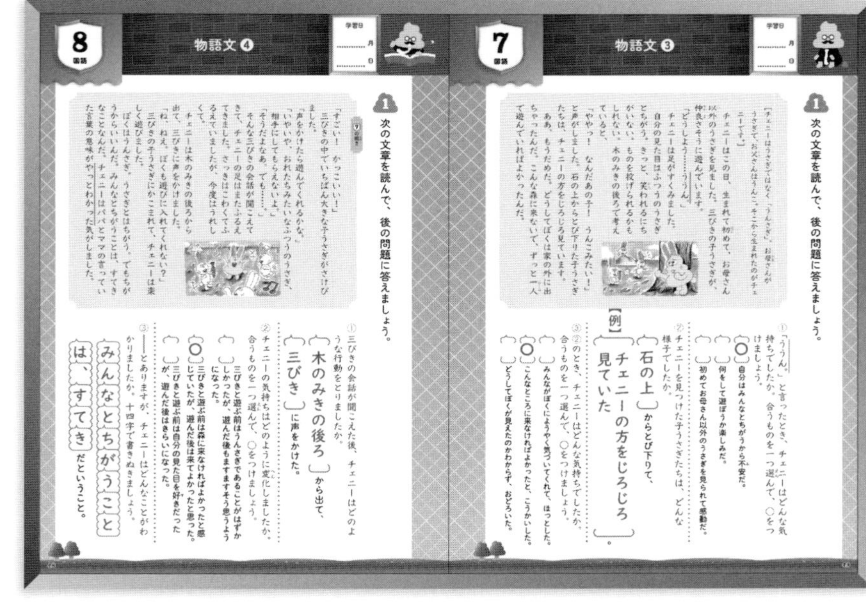

7 **1** ①チェニーは「ううん。」と言って、足がすくんでいます。「すくむ」とは、「こわさやきんちょうで体がちぢこまり、動けなくなる」という意味です。不安になっているとわかります。

③「こうかい」とは、「後になってやらなければよかったと思うこと」です。「ずっと一人で遊んでいればよかった」とチェニーは思っているので、こうかいしているとわかります。

8 **1** ②前のページでチェニーは、森に来たことをこうかいしていました。それが三びきの子うさぎの会話を聞いて安心し、三びきと遊んだ後は、森へ来てよかったと気持ちが変化しています。

③チェニーは三びきと遊んだことで、うんさぎとうさぎはちがっていて、それはすてきなことだということがわかりました。

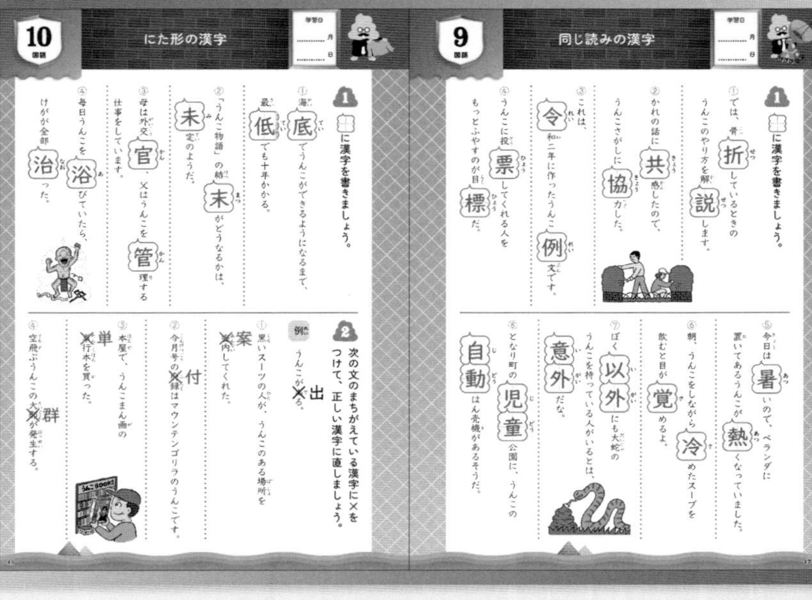

9 1 一つの文に、同じ読み方の二つの漢字を出題しています。同じ読み方の漢字は、文を読みながらその意味に合わせて使い分けられるようにしましょう。

⑤「暑い」は「気温が高い」、「熱い」は「物などの温度が高い」という意味です。

⑦「意外」は、「自分の思ったこととちがっている様子」という意味です。

10 1 一つの文に、にた形の漢字二つを出題しています。①③は読み方も同じなので、言葉や文の意味から考えて書きましょう。

2 文の中から、にた形のまちがえている漢字を見つけて×を書き、正しく直す問題です。

④「郡」は住所を表すときなどに使う漢字です。読み方が同じ「群」と使い分けましょう。

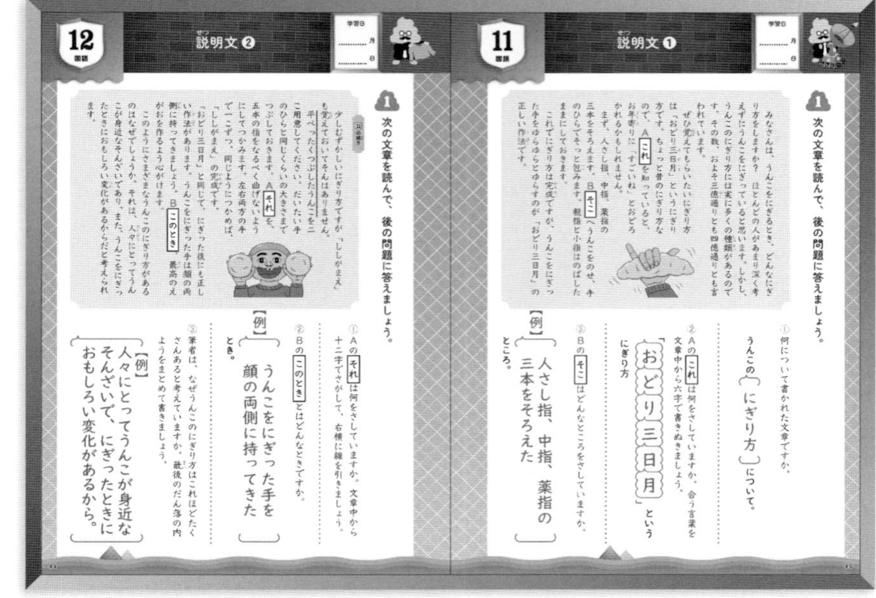

11 1 ①説明文の読み取りでは、まず何について書かれているかをつかむと、文章の内ようがとらえやすくなります。

②③文章で、「これ」や「そこ」などのさししめす言葉がさすものは、さししめす言葉の前にあることが多いです。「そこ」は場所を表すときに使う言葉なので、場所が書かれた部分をさがしましょう。

12 1 ②「このとき」とあるので、何をしたときなのかがわかる部分を、「このとき」より前からさがして書きましょう。

③最後のだん落では、一文目で「～なぜでしょうか。」と問いかけて、二文目で「～からだと考えられます。」と問いの答えを説明しています。うんこのにぎり方がたくさんある理由を、最後のだん落の二文目をまとめて答えましょう。

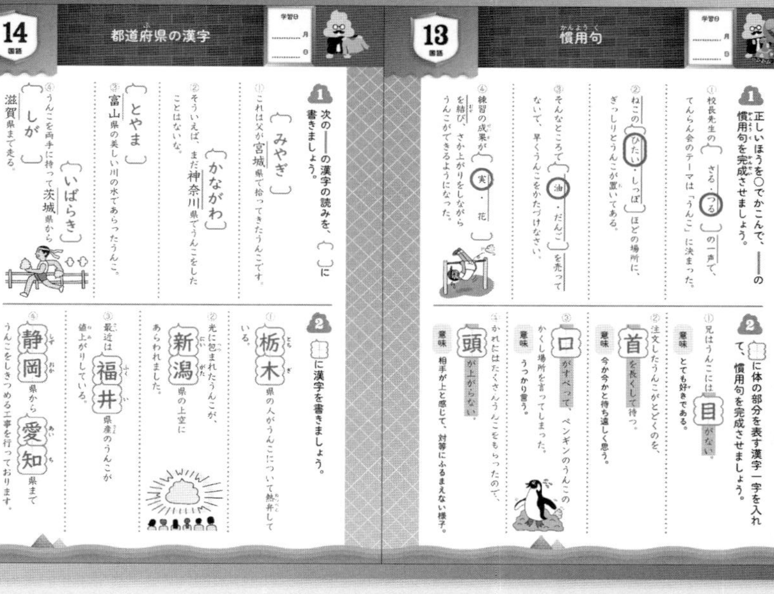

13 国語 慣用句

1 正しいほうを○でかこんで、——の慣用句を完成させましょう。

① 校長先生の〔さる・つる〕の一声で、てんらん会のテーマは「うんこ」に決まった。

② ねこの〔ひたい・しっぽ〕ほどの場所に、ぎっしりとうんこが置いてある。

③ そんなところで〔油・だんご〕を売っていないで、早くうんこをかたづけなさい。

④ 練習の成果が〔実・花〕を結び、さか上がりをしながらうんこができるようになった。

2 □に体の部分を表す漢字一字を入れて、慣用句を完成させましょう。

① 兄はうんこには〔目〕がない。 意味 とても好きである。

② 注文したうんこがとどくのを、〔首〕を長くして待つ。 意味 今か今かと待ち遠しく思う。

③ かくし場所を〔口〕がすべって、ペンギンのうんこの、うっかり言う。

④ かれはたくさんうんこをもらったので、〔頭〕が上がらない。 意味 相手が上と感じて、対等にふるまえない様子。

14 国語 都道府県の漢字

1 次の——の漢字の読みを、〔　〕に書きましょう。

① これは父が宮城県で拾ってきたうんこです。〔みやぎ〕

② そういえば、まだ神奈川県でうんこをしたことはないな。〔かながわ〕

③ 富山県の美しい川の水であらったうんこ。〔とやま〕

④ うんこを両手に持って茨城県から滋賀県まで走る。〔いばらき〕〔しが〕

2 □に漢字を書きましょう。

① 栃木県の人がうんこについて熱弁している。

② 光に包まれたうんこが、新潟県の上空にあらわれました。

③ 最近は福井県産のうんこが値上がりしている。

④ 静岡県から愛知県までうんこをしきつめる工事を行っております。

13 1 ①「つるの一声」は、「みんながしたがうような、力のある人の一言」という意味です。

② 「ねこのひたい」は、「とてもせまい場所」という意味です。

③ 「油を売る」は、「むだなことをして時間をつぶす。なまける」という意味です。

④ 「実を結ぶ」は、「努力した末にうまくいく」という意味です。

14 日本地図を見ながら、都道府県の名前や漢字を覚えましょう。

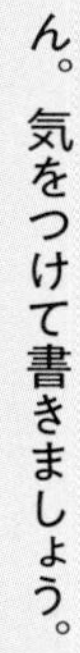

2 ② 「潟」の右上は「臼」ではありません。気をつけて書きましょう。

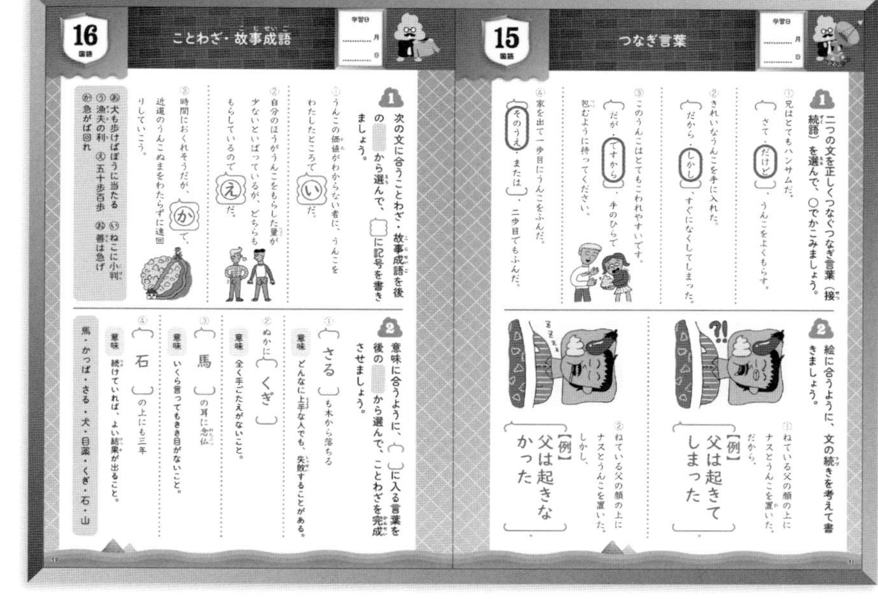

15 国語 つなぎ言葉

1 二つの文を正しくつなぐつなぎ言葉（接続語）を選んで、○でかこみましょう。

① 兄はとてもハンサムだ。〔さて・だけど〕、うんこをよくもらす。

② きれいなうんこを手に入れた。〔だから・しかし〕、すぐになくしてしまった。

③ このうんこはとてもこわれやすいです。〔だが・ですから〕、手のひらで包むように持ってください。

④ 家を出て一歩目にうんこをふんだ。〔そのうえ・または〕、二歩目もふんだ。

2 絵に合うように、文の続きを考えて書きましょう。

① ねている父の顔の上にナスとうんこを置いた。だから、【例】父は起きてしまった

② ねている父の顔の上にナスとうんこを置いた。しかし、【例】父は起きなかった

16 国語 ことわざ・故事成語

1 次の文に合うことわざ・故事成語を後の□から選んで、□に記号を書きましょう。

① うんこの価値がわからない者に、うんこをわたしたところで〔い〕だ。

② 自分のほうがうんこをもらした量が少ないといばっているが、どちらももらしているので〔え〕だ。

③ 時間におくれそうだが、近道のうんこぬまをわたらずに遠回りしていこう。〔か〕で。

あ 犬も歩けばぼうに当たる　い ねこに小判　う 漁夫の利　え 五十歩百歩　お 善は急げ　か 急がば回れ

2 意味に合うように、〔　〕に入る言葉を後の□から選んで、ことわざを完成させましょう。

① 〔さる〕も木から落ちる 意味 どんなに上手な人でも、失敗することがある。

② ぬかに〔くぎ〕 意味 全く手ごたえがないこと。

③ 〔馬〕の耳に念仏 意味 いくら言ってもききめがないこと。

④ 〔石〕の上にも三年 意味 続けていれば、よい結果が出ること。

馬・かっぱ・さる・犬・目薬・くぎ・石・山

15 つなぎ言葉の種類や、どんなときに使うのかを覚えましょう。

・「だけど」「しかし」「だが」…前のことがらと反対のことがらが後に来るときに使う。

・「だから」「ですから」「すると」…前のことがらの結果として後のことがらが来るときに使う。

・「そのうえ」「さらに」…前のことがらに新しいことがらが追加されるときに使う。

16 1 ①「ねこに小判」は、ねこには小判（昔のお金）の価値がわからないように、「その価値がわからない人にはどんなに貴重なものでも役に立たないこと」という意味です。

② 「五十歩百歩」は、「ほとんど差がなくて、同じようなものである」という意味です。

17
1 ② □の前のだん落では、実験の説明をしています。□の後には実験の結果が書かれているので、前のことがらの結果として後のことがらが来るときに使う「すると」が入ります。
③ はじめの二つのだん落に、大きさが同じ二つのうんこに音楽を聞かせる実験をしたら、ちぢんだうんこと大きくなったうんこがあったと書いてあります。

18
1 ① 実験から、うんこに楽しい音楽や前向きな言葉を聞かせると、サイズが大きくなったり、色が明るくなったりするせいしつがあるとわかった、と書かれています。
③ 3のだん落には、うんこイヤフォンの使い方が書かれています。2のだん落で出てきたうんこイヤフォンの話題の続きを説明しています。

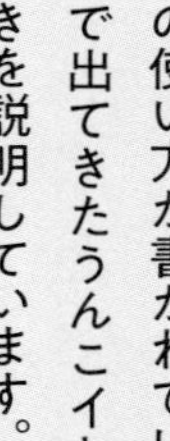

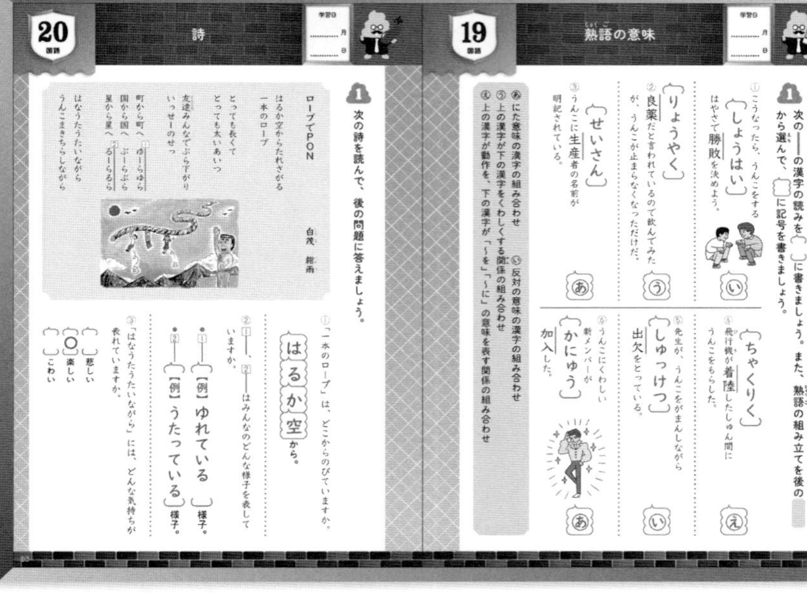

19
1 ② 「良薬」は「良い薬」なので、上の漢字が下の漢字をくわしくしています。
④ 「着陸」は「陸に着く」なので、上の漢字が動作を、下の漢字が「〜に」の意味を表しています。

20
1 ② 「ゆーらゆら」は、「ロープがゆれている」という意味のことが、「るーらるら」は、「ぶら下がった人たちがうたっている、楽しんでいる」という意味のことが書けていれば、正かいです。
③ 「るーらるら」と、楽しみながら「はなうた」をうたっている様子が、詩から伝わってきます。

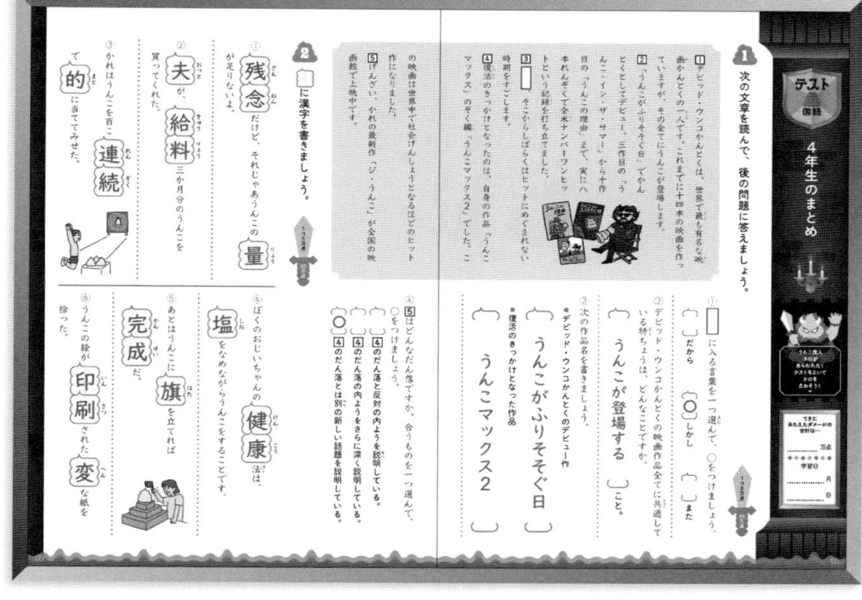
テスト 国語

4年生のまとめ

1 次の文章を読んで、後の問題に答えましょう。

1 デビッド・ウンコかんとくは、世界で最も有名な映画かんとくの一人です。これまでに十四本の映画を作っていますが、その全てにうんこが登場します。
2 「うんこがふりそそぐ日」でかんとくとしてデビュー。三作目の「うんこ・イン・ザ・サマー」から十作目の「うんこの理由」まで、実に八本れんぞくで全米ナンバーワンヒットという記録を打ち立てました。
3 ［　］、そこからしばらくはヒットにめぐまれない時期をすごします。
4 復活のきっかけとなったのは、自身の作品「うんこマックス」のぞく編「うんこマックス2」でした。この映画は世界中で社会げんしょうとなるほどのヒット作になりました。
5 げんざい、かれの最新作「ジ・うんこ」が全国の映画館で上映中です。

① ［　］に入る言葉を一つ選んで、○をつけましょう。
〔　〕だから　〔○〕しかし　〔　〕また

② デビッド・ウンコかんとくの映画作品全てに共通している特ちょうは、どんなことですか。
〔うんこが登場する〕こと。

③ 次の作品名を書きましょう。
●デビッド・ウンコかんとくのデビュー作
〔うんこがふりそそぐ日〕
●復活のきっかけとなった作品
〔うんこマックス2〕

④ 5はどんなだん落ですか。合うものを一つ選んで、○をつけましょう。
〔　〕4のだん落と反対の内ようを説明している。
〔　〕4のだん落の内ようをさらに深く説明している。
〔○〕4のだん落とは別の新しい話題を説明している。

2 ［　］に漢字を書きましょう。

① 残念（ざんねん）だけど、それじゃあうんこの量（りょう）が足りないよ。
② 夫（おっと）が、給料（きゅうりょう）三か月分のうんこを買ってくれた。
③ かれはうんこを百こ連続（れんぞく）で的（まと）に当ててみせた。
④ ぼくのおじいちゃんの健康（けんこう）法は、塩（しお）をなめながらうんこをすることです。
⑤ あとはうんこに旗（はた）を立てれば完成（かんせい）だ。
⑥ うんこの絵が印刷（いんさつ）された変（へん）な紙を拾った。

テスト

1 ① ［　］の前のだん落では映画のヒット作を何本も作ったことが書かれていますが、［　］の後ではヒットにめぐまれない時期をすごしたとあります。反対のことがらが書かれているので、「しかし」が入ります。

④ 4のだん落には、復活のきっかけとなった「うんこマックス2」のことが書かれていますが、5のだん落は、最新作の「ジ・うんこ」についての説明になっています。4のだん落とは別の新しい話題の説明であるとわかります。

2 四年生で学習した漢字の書き問題です。まちがえた漢字は、正しい漢字を何度も書いて練習し、ばっちり身につけて、五年生に進みましょう。

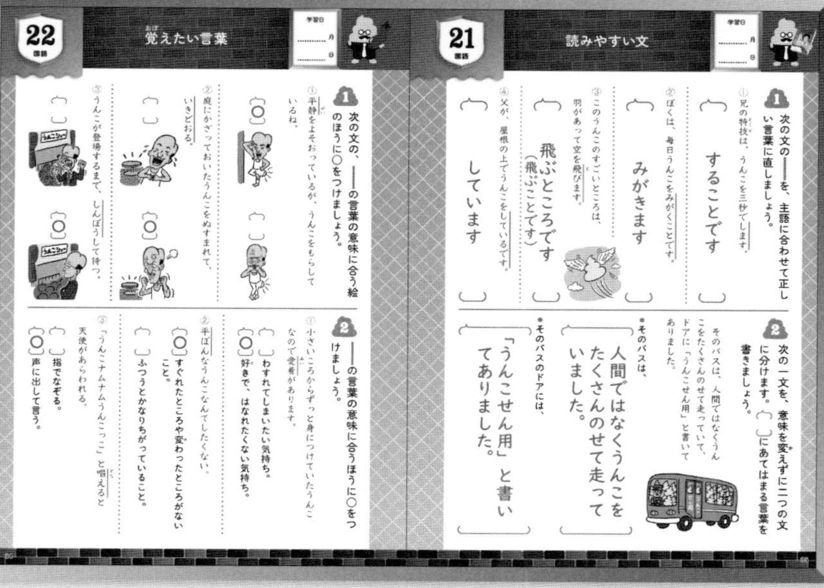
21 国語　読みやすい文　学習日　月　日

1 次の文の――を、主語に合わせて正しい言葉に直しましょう。
① 兄の特技は、うんこを三秒でします。
〔することです〕
② ぼくは、毎日うんこをみがくことです。
〔みがきます〕
③ このうんこのすごいところは、羽があって空を飛びます。
〔飛ぶところです（飛ぶことです）〕
④ 父が、屋根の上でうんこをしているです。
〔しています〕

2 次の一文を、意味を変えずに二つの文に分けます。〔　〕にあてはまる言葉を書きましょう。
そのバスは、人間ではなくうんこをたくさんのせて走っていて、ドアに「うんこせん用」と書いてありました。
●そのバスは、
〔人間ではなくうんこをたくさんのせて走っていました。〕
●そのバスのドアには、
〔「うんこせん用」と書いてありました。〕

22 国語　覚えたい言葉　学習日　月　日

1 次の文の、――の言葉の意味に合う絵のほうに○をつけましょう。
① 平静をよそおっているが、うんこをもらしているね。
〔○〕〔　〕
② 庭にかざっておいたうんこをぬすまれて、いきどおる。
〔　〕〔○〕
③ うんこが登場するまで、しんぼうして待つ。
〔　〕〔○〕

2 ――の言葉の意味に合うほうに○をつけましょう。
① 小さいころからずっと身につけていたうんこなので愛着があります。
〔　〕わすれてしまいたい気持ち。
〔○〕好きで、はなれたくない気持ち。
② 平ぼんなうんこなんてしたくない。
〔○〕すぐれたところや変わったところがないこと。
〔　〕ふつうとかなりちがっていること。
③ 「うんこナムナムうんこっこ」と唱えると天使があらわれる。
〔　〕指でなぞる。
〔○〕声に出して言う。

21
1 自分で文を書くときも、述語（じゅつご）が主語に合わせた正しい言葉になっているかをよくたしかめましょう。

2 この文は、「走っていて、」までとその後で二つの文に分けることができます。

22
1 ① 「平静」は、「心がおだやかで、落ち着いていること」という意味です。にた言葉に「冷静」があります。

② 「いきどおる」は、「おこる。はらを立てる」という意味です。

③ 「しんぼう」は、「つらいことなどをがまんすること」という意味です。

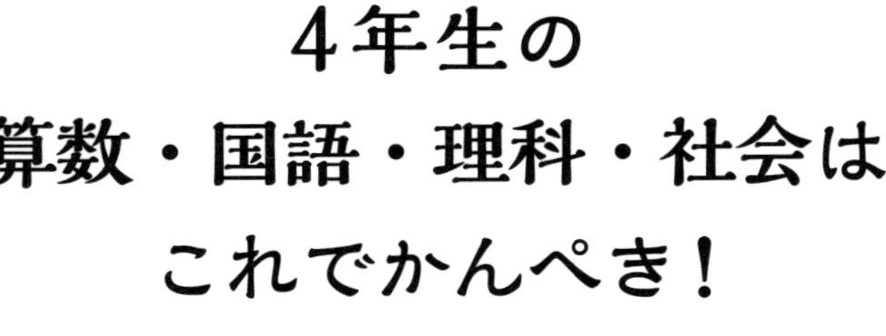

4年生の算数・国語・理科・社会はこれでかんぺき！

テストで100万点を取れたら
総復習ドリルシートに最後のシールをはって,
ドリルの30ページに進もう！

26・27 ページ

1 ① 川などから水をとり入れ，生活に使えるようにするしせつはじょう水場です。 ② じょう水場では，とり入れた水をきれいにして，それをためて地いきの家庭や工場などに送り出しています。

---

2 ① 住んでいる都道府県の位置を，正しく覚えましょう。 ③ 都道府県の名前の漢字は，4 年生までに学習します。 正しい位置とともに名前を漢字で書けるようにしましょう。

28・29 ページ

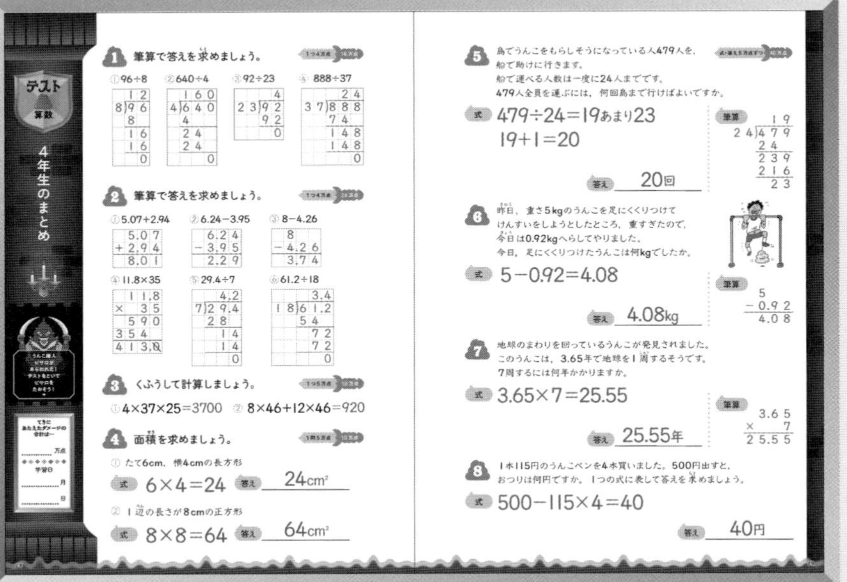

テスト

1 ～ 2 整数や小数の計算問題をといて，ばっちりにしましょう。

3 ① 4 ×25=100なので，交かん法則（ほうそく）で 4×25×37と入れかえると計算しやすいです。 ② 分配法則で，（ 8 +12）×46とすることができます。

6 5.00−0.92と考えて，位をそろえて計算しましょう。

7 答えは「26年」と書いていても正かいです。

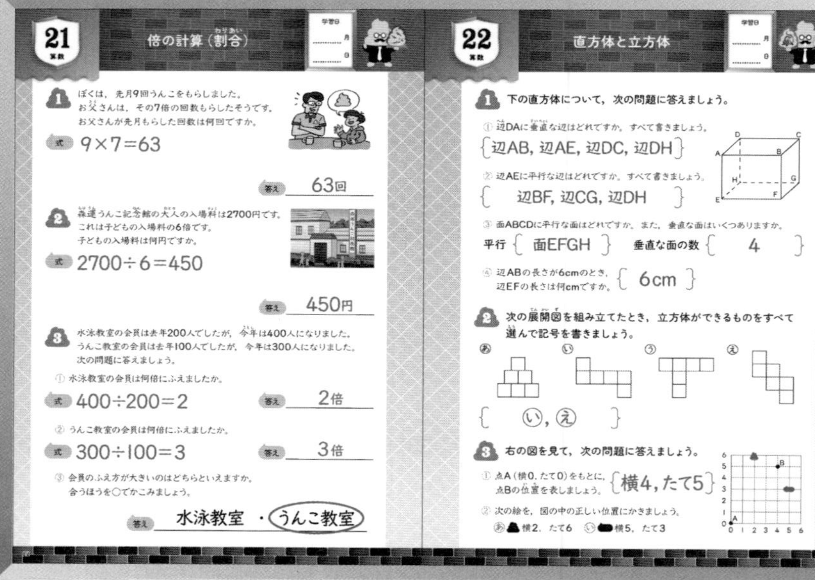

21 算数 倍の計算（割合）

1 ぼくは，先月9回うんこをもらしました。お父さんは，その7倍の回数もらしたそうです。お父さんが先月もらした回数は何回ですか。

式 9×7=63　答え 63回

2 森蓮うんこ記念館の大人の入場料は2700円です。これは子どもの入場料の6倍です。子どもの入場料は何円ですか。

式 2700÷6=450　答え 450円

3 水泳教室の会員は去年200人でしたが，今年は400人になりました。うんこ教室の会員は去年100人でしたが，今年は300人になりました。次の問題に答えましょう。

① 水泳教室の会員は何倍にふえましたか。
式 400÷200=2　答え 2倍

② うんこ教室の会員は何倍にふえましたか。
式 300÷100=3　答え 3倍

③ 会員のふえ方が大きいのはどちらといえますか。合うほうを○でかこみましょう。
答え 水泳教室・(うんこ教室)

22 算数 直方体と立方体

1 下の直方体について，次の問題に答えましょう。

① 辺DAに垂直な辺はどれですか。すべて書きましょう。
{辺AB, 辺AE, 辺DC, 辺DH}

② 辺AEに平行な辺はどれですか。すべて書きましょう。
{辺BF, 辺CG, 辺DH}

③ 面ABCDに平行な面はどれですか。また，垂直な面はいくつありますか。
平行 {面EFGH}　垂直な面の数 {4}

④ 辺ABの長さが6cmのとき，辺EFの長さは何cmですか。 {6cm}

2 次の展開図を組み立てたとき，立方体ができるものをすべて選んで記号を書きましょう。
{い，え}

3 右の図を見て，次の問題に答えましょう。

① 点A（横0，たて0）をもとに，点Bの位置を表しましょう。 {横4，たて5}

② 次の絵を，図の中の正しい位置にかきましょう。
あ 横2，たて6　い 横5，たて3

21 **3** どちらの教室もふえた人数は同じですが，ふえ方はちがいます。それぞれ今年の数を去年の数でわることで，何倍にふえたのかがわかります。① 水泳教室は２倍，② うんこ教室は３倍にふえているので，③ ふえ方が大きいのはうんこ教室のほうです。

22 **2** 展開図から組み立てたときの形を想ぞうしてみましょう。㋒は重なってしまう面があるので立方体になりません。

3 ① 点Bが図のどの位置にあるかをかくにんしましょう。横じくが４，たてじくが５のところにあるので，（横４，たて５）と表せます。

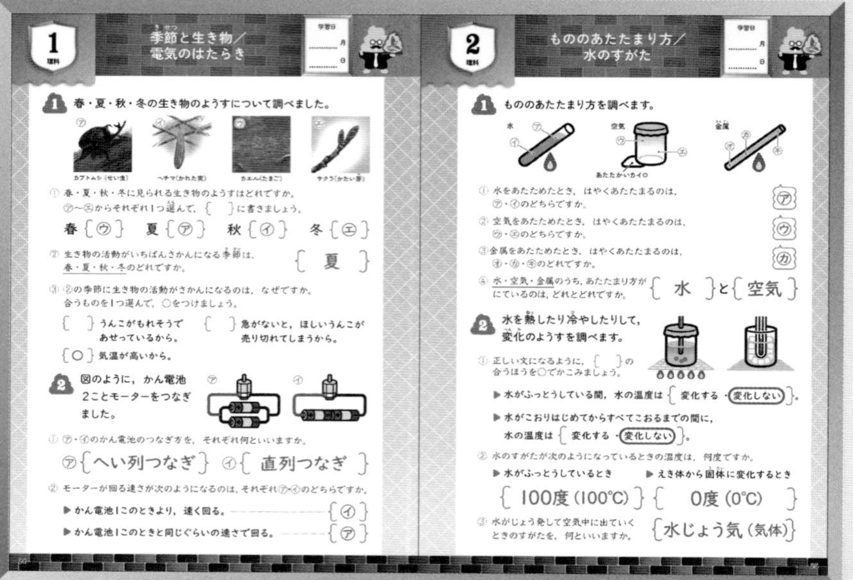

1 理科 季節と生き物／電気のはたらき

1 春・夏・秋・冬の生き物のようすについて調べました。

① 春・夏・秋・冬に見られる生き物のようすはどれですか。㋐～㋓からそれぞれ1つ選んで，{ }に書きましょう。
春 {㋒}　夏 {㋐}　秋 {㋑}　冬 {㋓}

② 生き物の活動がいちばんさかんになる季節は，春・夏・秋・冬のどれですか。 {夏}

③ ②の季節に生き物の活動がさかんになるのは，なぜですか。合うものを1つ選んで，○をつけましょう。
{ } うんこがもれそうであせっているから。　{ } 急がないと，ほしいうんこが売り切れてしまうから。
{○} 気温が高いから。

2 図のように，かん電池2ことモーターをつなぎました。

① ㋐・㋑のかん電池のつなぎ方を，それぞれ何といいますか。
㋐ {へい列つなぎ}　㋑ {直列つなぎ}

② モーターが回る速さが次のようになるのは，それぞれ㋐・㋑のどちらですか。
▶ かん電池1このときより，速く回る。 {㋑}
▶ かん電池1このときと同じぐらいの速さで回る。 {㋐}

2 理科 もののあたたまり方／水のすがた

1 もののあたたまり方を調べます。

① 水をあたためたとき，はやくあたたまるのは，㋐・㋑のどちらですか。 {㋐}

② 空気をあたためたとき，はやくあたたまるのは，㋒・㋓のどちらですか。 {㋒}

③ 金属をあたためたとき，はやくあたたまるのは，㋔・㋕・㋖のどれですか。 {㋕}

④ 水・空気・金属のうち，あたたまり方がにているのは，どれとどれですか。 {水}と{空気}

2 水を熱したり冷やしたりして，変化のようすを調べます。

① 正しい文になるように，{ }の合うほうを○でかこみましょう。
▶ 水がふっとうしている間，水の温度は {変化する・(変化しない)}。
▶ 水がこおりはじめてからすべてこおるまでの間に，水の温度は {変化する・(変化しない)}。

② 水のすがたが次のようになっているときの温度は，何度ですか。
▶ 水がふっとうしているとき {100度(100℃)}　▶ えき体から固体に変化するとき {0度(0℃)}

③ 水がじょう発して空気中に出ていくときのすがたを，何といいますか。 {水じょう気(気体)}

1 **1** 季節ごとの生き物のようすをおさえましょう。植物は，春から夏にかけて花がさき，秋になるとかれるものが多いです。動物は夏にかけて成長し，寒い季節はいろいろなすがたですごします。生き物の活動のようすには，気温が関係しています。

2 ② かん電池２こを直列につなぐと，かん電池１このときより，電流の大きさは大きくなります。かん電池２こをへい列につないでも電流の大きさは変わりません。

2 **1** 水と空気は，温度の高くなったところが上に動き，全体があたたまります。金属は，熱せられたところから順にあたたまっていき，やがて全体があたたまります。

2 水はふっとうしたり,こおったりする間は,温度は変化しません。温度によって，次のようにすがたを変えます。

水じょう気【気体】 ⇔ 水【えき体】 ⇔ 氷【固体】

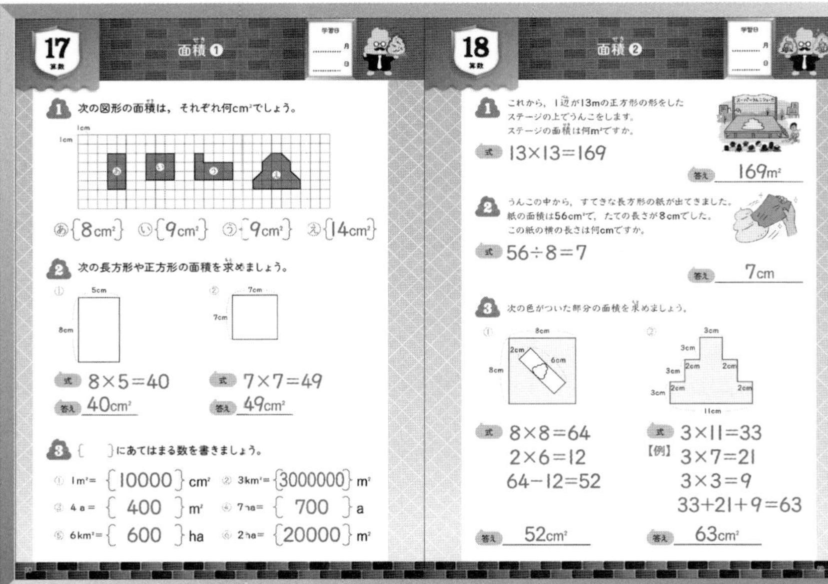

17 面積❶

1 次の図形の面積は，それぞれ何cm²でしょう。

あ{8cm²}　い{9cm²}　う{9cm²}　え{14cm²}

2 次の長方形や正方形の面積を求めましょう。

① 式 8×5=40　答え 40cm²

② 式 7×7=49　答え 49cm²

3 { }にあてはまる数を書きましょう。

① 1m²={10000}cm²　② 3km²={3000000}m²

③ 4a={400}m²　④ 7ha={700}a

⑤ 6km²={600}ha　⑥ 2ha={20000}m²

18 面積❷

1 これから，1辺が13mの正方形の形をしたステージの上でうんこをします。ステージの面積は何m²ですか。

式 13×13=169　答え 169m²

2 うんこの中から，すてきな長方形の紙が出てきました。紙の面積は56cm²で，たての長さが8cmでした。この紙の横の長さは何cmですか。

式 56÷8=7　答え 7cm

3 次の色がついた部分の面積を求めましょう。

① 式 8×8=64　2×6=12　64−12=52　答え 52cm²

② 式 3×11=33　【例】3×7=21　3×3=9　33+21+9=63　答え 63cm²

17 2 ① 長方形の面積は「たて×横」，② 正方形の面積は「1辺×1辺」で計算します。

3 それぞれの面積の単位の関係を覚えておきましょう。1 km²=100ha=10000a=1000000m²です。 1000m×1000mが 1 km²になるので，1 km²=1000000m²です。

18 2 長方形の紙の横の長さを□(cm)とすると，面積は 8×□=56 (cm²) になります。 56÷ 8 で横の長さを求めることができます。

3 ② 図形を 1 だんめ，2 だんめ，3 だんめの四角形に分けて計算し，最後にそれぞれの面積をあわせると求めやすいです。

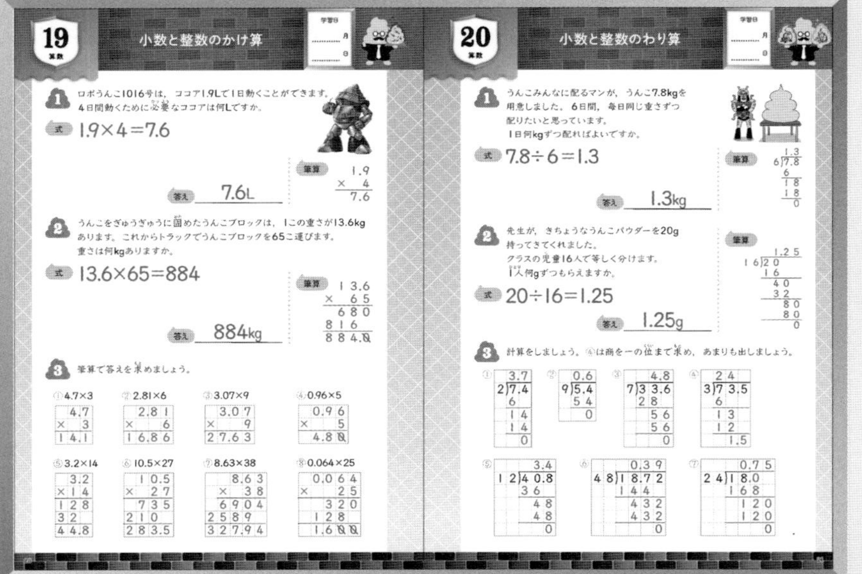

19 小数と整数のかけ算

1 ロボうんこ1016号は，ココア1.9Lで1日動くことができます。4日間動くために必要なココアは何Lですか。

式 1.9×4=7.6　答え 7.6L

2 うんこをぎゅうぎゅうに固めたうんこブロックは，1この重さが13.6kgあります。これからトラックでうんこブロックを65こ運びます。重さは何kgありますか。

式 13.6×65=884　答え 884kg

3 筆算で答えを求めましょう。

① 4.7×3=14.1　② 2.81×6=16.86　③ 3.07×9=27.63　④ 0.96×5=4.80

⑤ 3.2×14=44.8　⑥ 10.5×27=283.5　⑦ 8.63×38=327.94　⑧ 0.064×25=1.600

20 小数と整数のわり算

1 うんこみんなに配るマンが，うんこ7.8kgを用意しました。6日間，毎日同じ重さずつ配りたいと思っています。1日何kgずつ配ればよいですか。

式 7.8÷6=1.3　答え 1.3kg

2 先生が，きちょうなうんこパウダーを20g持ってきてくれました。クラスの児童16人で等しく分けます。1人何gずつもらえますか。

式 20÷16=1.25　答え 1.25g

3 計算をしましょう。④は商を一の位まで求め，あまりも出しましょう。

① 3.7　② 0.6　③ 4.8　④ 2.4 あまり 1.5

⑤ 3.4　⑥ 0.39　⑦ 0.75

19 1 整数どうしでのかけ算の筆算と同じように，かける数をかけられる数のそれぞれの位にかけて計算します。

2 かける数が 2 けたになっても，それぞれの位ごとに計算して答えを求めます。かける数の十の位の計算をわすれないようにしましょう。

20 1 整数でのわり算の筆算と同じように計算します。 商を求めるときは，小数点をわすれずに打ちましょう。

2 整数どうしのわり算ですが，わり進めて答えを求めます。 商は125ではなく，小数点をつけて1.25です。

3 ② 一の位には答えがたたないため，一の位の答えに 0 をたてて商を0.6 とします。

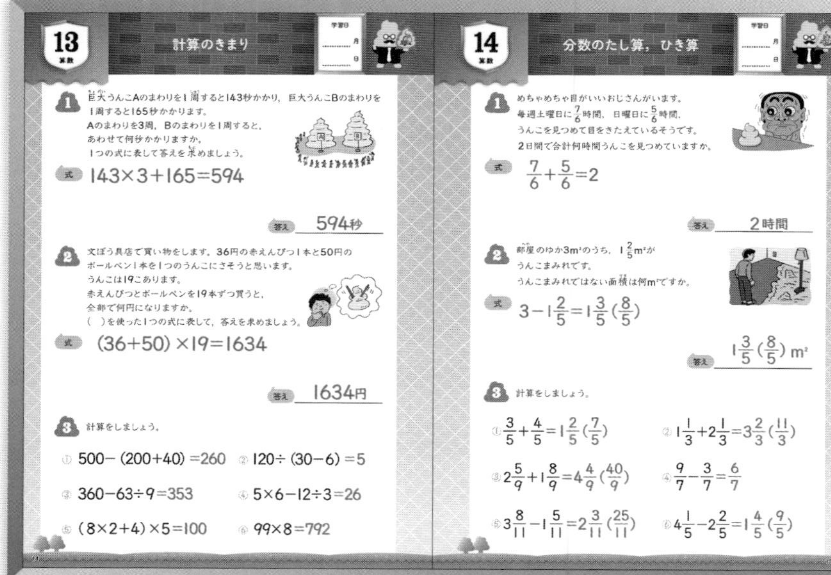

13 算数 計算のきまり

❶ 巨大うんこAのまわりを1周すると143秒かかり，巨大うんこBのまわりを1周すると165秒かかります。Aのまわりを3周，Bのまわりを1周すると，あわせて何秒かかりますか。1つの式に表して答えを求めましょう。

式 143×3+165=594　答え 594秒

❷ 文ぼう具店で買い物をします。36円の赤えんぴつ1本と50円のボールペン1本を1つのうんこにそえようと思います。うんこは19こあります。赤えんぴつとボールペンを19本ずつ買うと，全部で何円になりますか。（ ）を使った1つの式に表して，答えを求めましょう。

式 (36+50)×19=1634　答え 1634円

❸ 計算をしましょう。

① 500−(200+40)=260　② 120÷(30−6)=5
③ 360−63÷9=353　④ 5×6−12÷3=26
⑤ (8×2+4)×5=100　⑥ 99×8=792

14 算数 分数のたし算，ひき算

❶ めちゃめちゃ目がいいおじさんがいます。毎週土曜日に$\frac{7}{6}$時間，日曜日に$\frac{5}{6}$時間，うんこを見つめて目をきたえているそうです。2日間で合計何時間うんこを見つめていますか。

式 $\frac{7}{6}+\frac{5}{6}=2$　答え 2時間

❷ 部屋のゆか3m²のうち，$1\frac{2}{5}$m²がうんこまみれです。うんこまみれではない面積は何m²ですか。

式 $3-1\frac{2}{5}=1\frac{3}{5}(\frac{8}{5})$　答え $1\frac{3}{5}(\frac{8}{5})$ m²

❸ 計算をしましょう。

① $\frac{3}{5}+\frac{4}{5}=1\frac{2}{5}(\frac{7}{5})$　② $1\frac{1}{3}+2\frac{1}{3}=3\frac{2}{3}(\frac{11}{3})$
③ $2\frac{5}{9}+1\frac{8}{9}=4\frac{4}{9}(\frac{40}{9})$　④ $\frac{9}{7}-\frac{3}{7}=\frac{6}{7}$
⑤ $3\frac{8}{11}-1\frac{5}{11}=2\frac{3}{11}(\frac{25}{11})$　⑥ $4\frac{1}{5}-2\frac{2}{5}=1\frac{4}{5}(\frac{9}{5})$

13 ❶ 1つの式にかけ算やたし算，わり算やひき算がまじった計算では，かけ算やわり算を先に計算します。
❷ 式に（　）が入る計算では，（　）の中を先に計算します。
❸ ⑥ 99×８は，(100−１)×８なので，100×８－１×８の式にすると計算しやすいです。

14 ❶ $\frac{7}{6}+\frac{5}{6}$は$\frac{12}{6}$なので，分数ではなく整数の２として表します。
❸ ⑥ それぞれの帯分数を仮分数に直すと，$\frac{21}{5}-\frac{12}{5}$となり，計算がしやすいです。

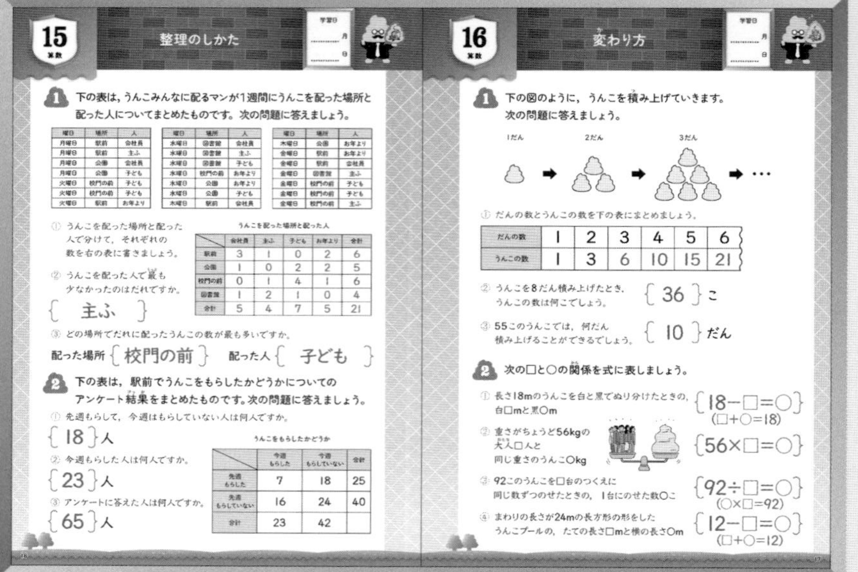

15 算数 整理のしかた

❶ 下の表は，うんこみんなに配るマンが1週間にうんこを配った場所と配った人についてまとめたものです。次の問題に答えましょう。

曜日	場所	人
月曜日	駅前	会社員
月曜日	駅前	主ふ
月曜日	公園	会社員
月曜日	公園	子ども
火曜日	校門の前	子ども
火曜日	校門の前	子ども
火曜日	駅前	お年より

曜日	場所	人
水曜日	図書館	会社員
水曜日	図書館	主ふ
水曜日	図書館	子ども
水曜日	校門の前	お年より
水曜日	公園	お年より
水曜日	公園	子ども
木曜日	駅前	会社員

曜日	場所	人
木曜日	公園	お年より
金曜日	駅前	お年より
金曜日	駅前	会社員
金曜日	図書館	主ふ
金曜日	校門の前	子ども
金曜日	校門の前	子ども
金曜日	校門の前	主ふ

① うんこを配った場所と配った人で分けて，それぞれの数を右の表に書きましょう。

うんこを配った場所と配った人

	会社員	主ふ	子ども	お年より	合計
駅前	3	1	0	2	6
公園	1	0	2	2	5
校門の前	0	1	4	1	6
図書館	1	2	1	0	4
合計	5	4	7	5	21

② うんこを配った人で最も少なかったのはだれですか。｛ 主ふ ｝

③ どの場所でだれに配ったうんこの数が最も多いですか。
配った場所｛ 校門の前 ｝　配った人｛ 子ども ｝

❷ 下の表は，駅前でうんこをもらしたかどうかについてのアンケート結果をまとめたものです。次の問題に答えましょう。

① 先週もらして，今週はもらしていない人は何人ですか。｛ 18 ｝人
② 今週もらした人は何人ですか。｛ 23 ｝人
③ アンケートに答えた人は何人ですか。｛ 65 ｝人

うんこをもらしたかどうか

	今週もらした	今週もらしていない	合計
先週もらした	7	18	25
先週もらしていない	16	24	40
合計	23	42	

16 算数 変わり方

❶ 下の図のように，うんこを積み上げていきます。次の問題に答えましょう。

1だん　2だん　3だん

① だんの数とうんこの数を下の表にまとめましょう。

だんの数	1	2	3	4	5	6
うんこの数	1	3	6	10	15	21

② うんこを8だん積み上げたとき，うんこの数は何こでしょう。｛ 36 ｝こ
③ 55このうんこでは，何だん積み上げることができるでしょう。｛ 10 ｝だん

❷ 次の□と○の関係を式に表しましょう。

① 長さ18mのうんこを白と黒でぬり分けたときの，白□mと黒○m　｛ 18−□=○ ｝（□+○=18）
② 重さがちょうど56kgの大人□人と同じ重さのうんこ○kg　｛ 56×□=○ ｝
③ 92このうんこを□台のつくえに同じ数ずつのせたときの，1台にのせた数○こ　｛ 92÷□=○ ｝（○×□=92）
④ まわりの長さが24mの長方形の形をしたうんこプールの，たての長さ□mと横の長さ○m　｛ 12−□=○ ｝（□+○=12）

15 ❶ ① それぞれの曜日に配った場所と人を見落としや重なりがないように数え，表にまとめましょう。
❷ ③ アンケートに答えた人数は，右側もしくは下側の合計をあわせるとわかります。

16 ❶ ② だんの数だけうんこがふえていくのが①の表からわかります。うんこを７だん積み上げたときのうんこの数は28こで，８だんのときは36こです。
③ ９だんのときは45こ，10だんでは55こになるので，10だんが正かいです。
❷ ④ まわりの長さが24mなので，(□×2)+(○×2)=24になります。

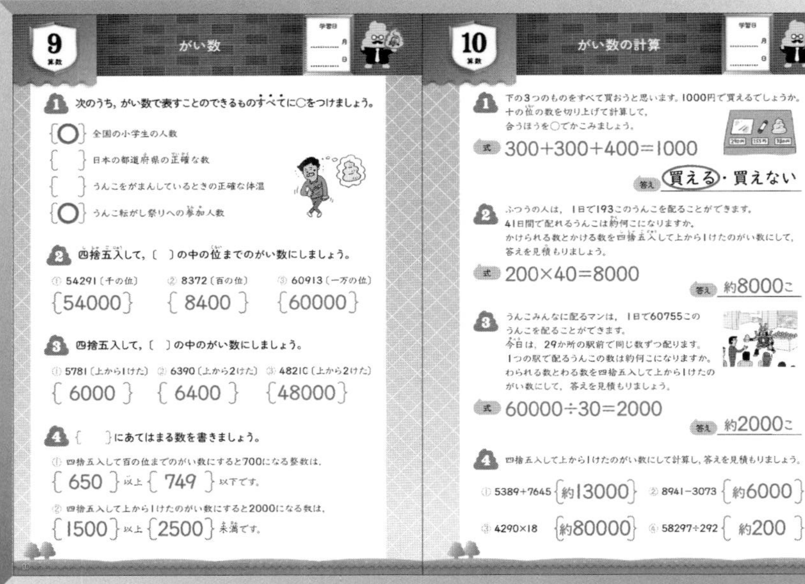

9 がい数

1 次のうち，がい数で表すことのできるものすべてに○をつけましょう。
〔○〕全国の小学生の人数
〔 〕日本の都道府県の正確な数
〔 〕うんこをがまんしているときの正確な体温
〔○〕うんこ転がし祭りへの参加人数

2 四捨五入して，〔 〕の中の位までのがい数にしましょう。
① 54291（千の位）〔54000〕 ② 8372（百の位）〔8400〕 ③ 60913（一万の位）〔60000〕

3 四捨五入して，〔 〕の中のがい数にしましょう。
① 5781（上から1けた）〔6000〕 ② 6390（上から2けた）〔6400〕 ③ 48210（上から2けた）〔48000〕

4 〔 〕にあてはまる数を書きましょう。
① 四捨五入して百の位までのがい数にすると700になる整数は，〔650〕以上〔749〕以下です。
② 四捨五入して上から1けたのがい数にすると2000になる数は，〔1500〕以上〔2500〕未満です。

10 がい数の計算

1 下の3つのものをすべて買おうと思います。1000円で買えるでしょうか。十の位の数を切り上げて計算して，合うほうを○でかこみましょう。
式 300+300+400=1000
答え 買える・買えない

2 ふつうの人は，1日で193このうんこを配ることができます。41日間で配れるうんこは約何こになりますか。かけられる数とかける数を四捨五入して上から1けたのがい数にして，答えを見積もりましょう。
式 200×40=8000
答え 約8000こ

3 うんこみんなに配るマンは，1日で60755このうんこを配ることができます。今日は，29か所の駅前で同じ数ずつ配ります。1つの駅で配るうんこの数は約何こになりますか。わられる数とわる数を四捨五入して上から1けたのがい数にして，答えを見積もりましょう。
式 60000÷30=2000
答え 約2000こ

4 四捨五入して上から1けたのがい数にして計算し，答えを見積もりましょう。
① 5389+7645〔約13000〕 ② 8941−3073〔約6000〕
③ 4290×18〔約80000〕 ④ 58297÷292〔約200〕

9 1 がい数はおよその数を表すのに使うので，正確な数を表すときには用いません。
2 ① 千の位までのがい数で表すときは，百の位の数字を四捨五入します。
3 ① 上から１けたのがい数で表すときは，上から２けためての数字を四捨五入します。

---

10 1 十の位の数を切り上げると，290円と255円が300円に，380円は400円となり，すべてたすと1000円になります。 切り上げた数で計算しているので1000円をこえることはないため，1000円で買えるといえます。
2 3 4 がい数で計算したときは，答えに「約」をつけるのをわすれないようにしましょう。

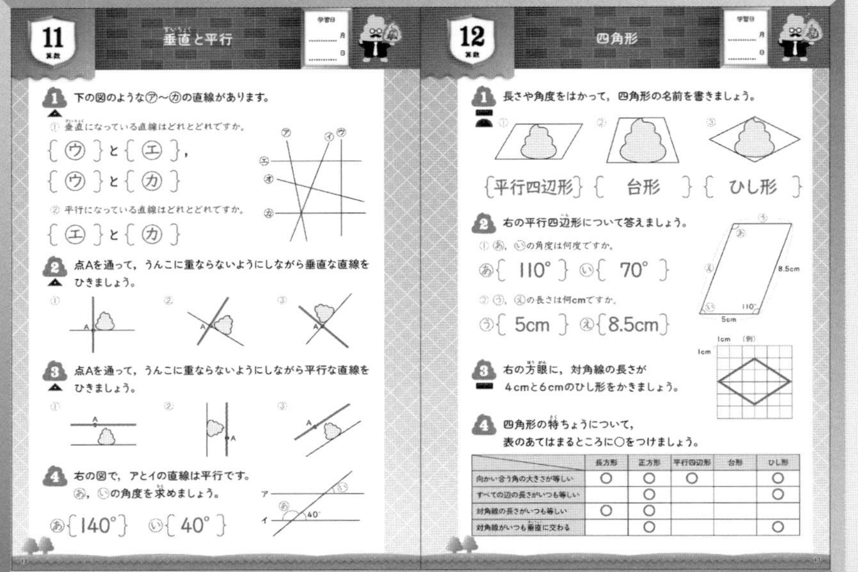

11 垂直と平行

1 下の図のような㋐～㋕の直線があります。
① 垂直になっている直線はどれとどれですか。
〔㋒〕と〔㋓〕，〔㋒〕と〔㋕〕
② 平行になっている直線はどれとどれですか。
〔㋓〕と〔㋕〕

2 点Aを通って，うんこに重ならないようにしながら垂直な直線をひきましょう。

3 点Aを通って，うんこに重ならないようにしながら平行な直線をひきましょう。

4 右の図で，アとイの直線は平行です。あ，いの角度を求めましょう。
あ〔140°〕 い〔40°〕

12 四角形

1 長さや角度をはかって，四角形の名前を書きましょう。
〔平行四辺形〕〔台形〕〔ひし形〕

2 右の平行四辺形について答えましょう。
① あ，いの角度は何度ですか。
あ〔110°〕 い〔70°〕
② う，えの長さは何cmですか。
う〔5cm〕 え〔8.5cm〕

3 右の方眼に，対角線の長さが4cmと6cmのひし形をかきましょう。

4 四角形の特ちょうについて，表のあてはまるところに○をつけましょう。

	長方形	正方形	平行四辺形	台形	ひし形
向かい合う角の大きさが等しい	○	○	○		○
すべての辺の長さがいつも等しい		○			○
対角線の長さがいつも等しい	○	○			
対角線がいつも垂直に交わる		○			○

11 1 ２つの直線が直角に交わるとき，この２直線は垂直です。２つの直線がどこまでも交わらないとき，この２直線は平行です。１つの直線に垂直な２つの直線は，平行であるといえます。 直角に交わっている２つの直線を見つけて，垂直や平行をかくにんしましょう。
4 平行な２つの直線に１つの直線が交わるとき，交わる角度は同じになります。 アとイの直線は平行なので，ⓘの角度は40°とわかります。

---

12 2 平行四辺形の向かい合う角の大きさや辺の長さは等しくなります。
4 四角形のそれぞれの特ちょうをおさえましょう。 台形には，向かい合う１組の辺が平行になるという特ちょうがあります。

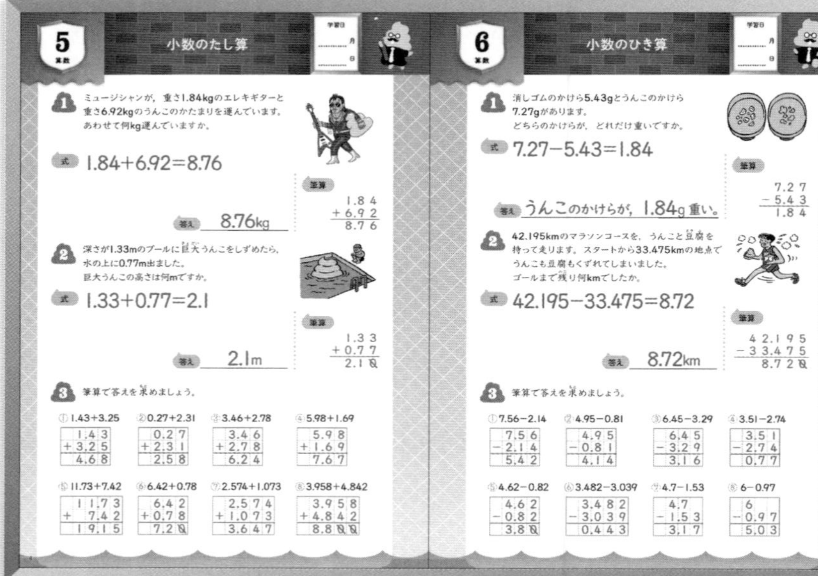

5 小数のたし算

1 ミュージシャンが，重さ1.84kgのエレキギターと重さ6.92kgのうんこのかたまりを運んでいます。あわせて何kg運んでいますか。

式 1.84+6.92=8.76　答え 8.76kg

2 深さが1.33mのプールに巨大うんこをしずめたら，水の上に0.77m出ました。巨大うんこの高さは何mですか。

式 1.33+0.77=2.1　答え 2.1m

3 筆算で答えを求めましょう。

① 1.43+3.25 = 4.68　② 0.27+2.31 = 2.58　③ 3.46+2.78 = 6.24　④ 5.98+1.69 = 7.67

⑤ 11.73+7.42 = 19.15　⑥ 6.42+0.78 = 7.2　⑦ 2.574+1.073 = 3.647　⑧ 3.958+4.842 = 8.8

6 小数のひき算

1 消しゴムのかけら5.43gとうんこのかけら7.27gがあります。どちらのかけらが，どれだけ重いですか。

式 7.27−5.43=1.84　答え うんこのかけらが，1.84g重い。

2 42.195kmのマラソンコースを，うんこと豆腐を持って走ります。スタートから33.475kmの地点でうんこも豆腐もくずれてしまいました。ゴールまで残り何kmでしたか。

式 42.195−33.475=8.72　答え 8.72km

3 筆算で答えを求めましょう。

① 7.56−2.14 = 5.42　② 4.95−0.81 = 4.14　③ 6.45−3.29 = 3.16　④ 3.51−2.74 = 0.77

⑤ 4.62−0.82 = 3.8　⑥ 3.482−3.039 = 0.443　⑦ 4.7−1.53 = 3.17　⑧ 6−0.97 = 5.03

5 1 小数のたし算では，整数のたし算と同じように位をそろえ，位ごとに計算します。最後に小数点をわすれないようにつけましょう。

2 小数のいちばん小さい位，この計算では小数第二位の 0 を消して2.1と表します。

---

6 1 小数のひき算では，整数のひき算と同じように位をそろえ，位ごとに計算します。整数のときと同じようにくり下がりに気をつけながら計算しましょう。

2 小数第三位の 0 を消して8.72と表します。

3 ⑦ ⑧ 筆算のときに，ひかれる数とひく数を右側にそろえないようにしましょう。位をそろえて計算することが大切です。

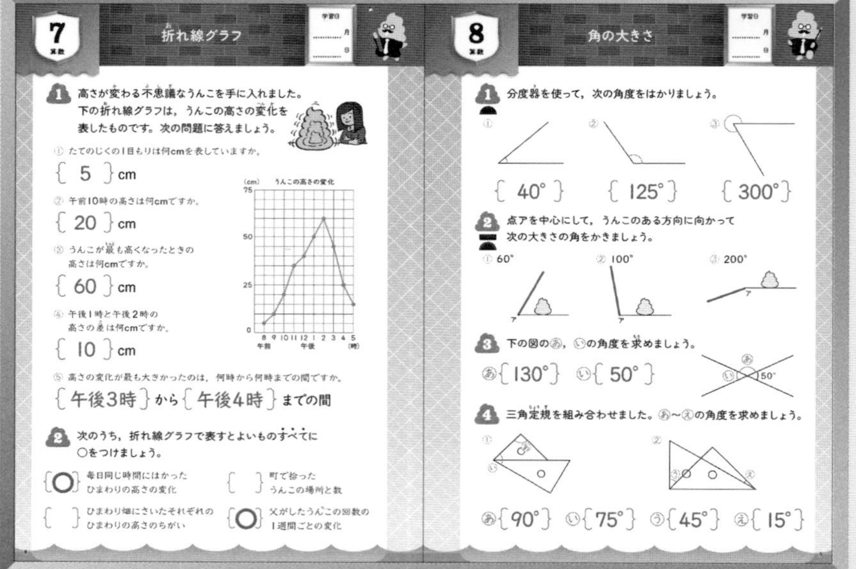

7 折れ線グラフ

1 高さが変わる不思議なうんこを手に入れました。下の折れ線グラフは，うんこの高さの変化を表したものです。次の問題に答えましょう。

① たてのじくの1目もりは何cmを表していますか。 { 5 } cm

② 午前10時の高さは何cmですか。 { 20 } cm

③ うんこが最も高くなったときの高さは何cmですか。 { 60 } cm

④ 午後1時と午後2時の高さの差は何cmですか。 { 10 } cm

⑤ 高さの変化が最も大きかったのは，何時から何時までの間ですか。 {午後3時} から {午後4時} までの間

2 次のうち，折れ線グラフで表すとよいものすべてに○をつけましょう。

{○} 毎日同じ時間にはかったひまわりの高さの変化　{ } 町で拾ったうんこの場所と数

{ } ひまわり畑にさいたそれぞれのひまわりの高さのちがい　{○} 父がしたうんこの回数の1週間ごとの変化

8 角の大きさ

1 分度器を使って，次の角度をはかりましょう。

① { 40° }　② { 125° }　③ { 300° }

2 点アを中心にして，うんこのある方向に向かって次の大きさの角をかきましょう。

① 60°　② 100°　③ 200°

3 下の図の㋐，㋑の角度を求めましょう。

㋐ { 130° }　㋑ { 50° }

4 三角定規を組み合わせました。㋐～㋓の角度を求めましょう。

㋐ { 90° }　㋑ { 75° }　㋒ { 45° }　㋓ { 15° }

7 1 ① たてのじくは 5 目もりめに「25」，10目もりめに「50」とあります。そこから，1 目もりが 5 cmなのだとわかります。

⑤ 高さの変化が最も大きかったのは，折れ線グラフのかたむきが最も急なところです。午後 3 時から午後 4 時までの間に，20cm低くなっていることがグラフからわかります。

---

8 3 一直線のときの角度は180°です。㋐の角度と50°をあわせると180°になるので，㋐は130°だとわかります。㋐の角度と㋑の角度をあわせると180°になるので，㋑の角度は50°です。

4 三角定規には，45°・45°・90°のものと30°・60°・90°のものの 2 種類があります。三角定規をつなげたり重ねたりしたときの角度を，計算で求めましょう。

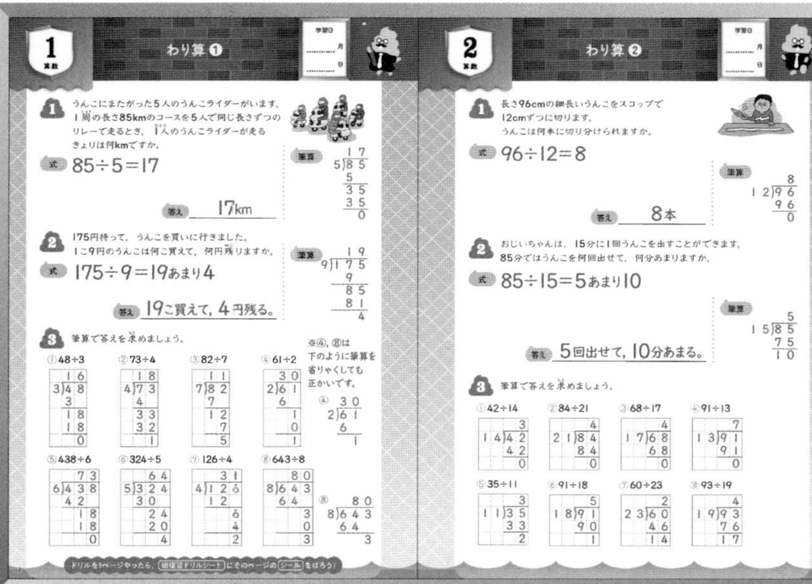

1 算数 わり算❶

1 うんこにまたがった5人のうんこライダーがいます。1周の長さ85kmのコースを5人で同じ長さずつのリレーで走るとき，1人のうんこライダーが走るきょりは何kmですか。

式 85÷5＝17　答え 17km

2 175円持って，うんこを買いに行きました。1こ9円のうんこは何こ買えて，何円残りますか。

式 175÷9＝19あまり4　答え 19こ買えて，4円残る。

3 筆算で答えを求めましょう。
①48÷3＝16　②73÷4＝18あまり1　③82÷7＝11あまり5　④61÷2＝30あまり1　⑤438÷6＝73　⑥324÷5＝64あまり4　⑦126÷4＝31あまり2　⑧643÷8＝80あまり3

※④，⑧は下のように筆算を省りゃくしても正かいです。

2 算数 わり算❷

1 長さ96cmの細長いうんこをスコップで12cmずつに切ります。うんこは何本に切り分けられますか。

式 96÷12＝8　答え 8本

2 おじいちゃんは，15分に1回うんこを出すことができます。85分ではうんこを何回出せて，何分あまりますか。

式 85÷15＝5あまり10　答え 5回出せて，10分あまる。

3 筆算で答えを求めましょう。
①42÷14＝3　②84÷21＝4　③68÷17＝4　④91÷13＝7　⑤35÷11＝3あまり2　⑥91÷18＝5あまり1　⑦60÷23＝2あまり14　⑧93÷19＝4あまり17

ドリルを1ページやったら，「頑張賞ドリルシート」にそのページの「シール」をはろう！

1 **1** 2けた÷1けたの計算です。 わり算の筆算では，商を「たてる」→「かける」→「ひく」→「おろす」の手順で計算して，答えを求めましょう。

たてる　$5\overline{)85}$，商 1 → かける　1×5＝5 → ひく　8−5＝3 → おろす　35

2 3けた÷1けたの計算でも，**1**と同じような筆算の手順で商を求めましょう。

2 **1** 2けた÷2けたの計算です。 まずは商の見当をつけながらたてて，まだわることができたり，商が大きすぎたりしないかをたしかめましょう。
2 あまりが出る場合は，あまりの数がわる数よりも大きくなっていないかをかくにんしましょう。 大きくなっていたら，さらにわることができます。

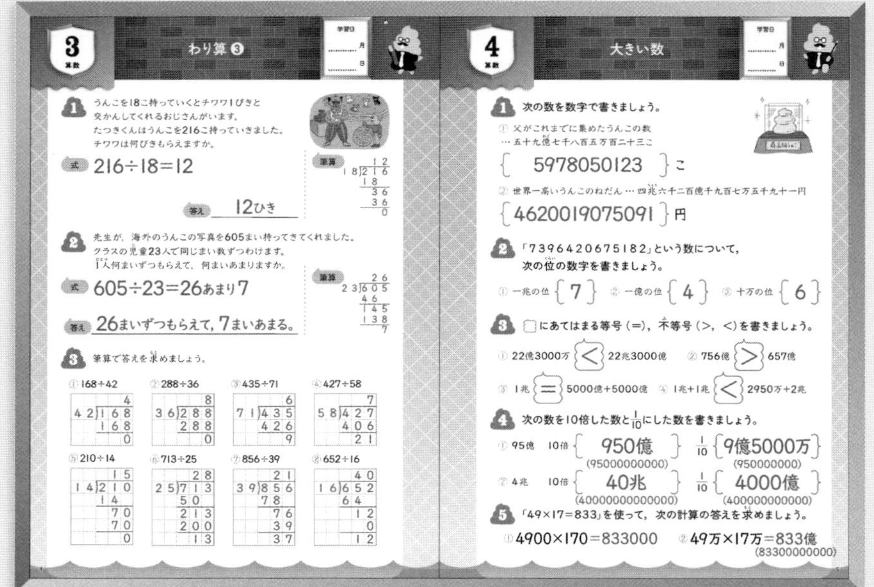

3 算数 わり算❸

1 うんこを18こ持っていくとチワワ1ぴきと交かんしてくれるおじさんがいます。たつきくんはうんこを216こ持っていきました。チワワは何びきもらえますか。

式 216÷18＝12　答え 12ひき

2 先生が，海外のうんこの写真を605まい持ってきてくれました。クラスの児童23人で同じまい数ずつわけます。1人何まいずつもらえて，何まいあまりますか。

式 605÷23＝26あまり7　答え 26まいずつもらえて，7まいあまる。

3 筆算で答えを求めましょう。
①168÷42＝4　②288÷36＝8　③435÷71＝6あまり9　④427÷58＝7あまり21　⑤210÷14＝15　⑥713÷25＝28あまり13　⑦856÷39＝21あまり37　⑧652÷16＝40あまり12

4 算数 大きい数

1 次の数を数字で書きましょう。
① 父がこれまでに集めたうんこの数 … 五十九億七千八百五万百二十三こ　{5978050123}こ
② 世界一高いうんこのねだん … 四兆六千二百億千九百七万五千九十一円　{4620019075091}円

2 「7396420675182」という数について，次の位の数字を書きましょう。
① 一兆の位 {7}　② 一億の位 {4}　③ 十万の位 {6}

3 □にあてはまる等号（＝），不等号（＞，＜）を書きましょう。
① 22億3000万 ＜ 22兆3000億　② 756億 ＞ 657億
③ 1兆 ＝ 5000億＋5000億　④ 1兆＋1兆 ＜ 2950万＋2兆

4 次の数を10倍した数と$\frac{1}{10}$にした数を書きましょう。
① 95億　10倍 {950億（95000000000）}　$\frac{1}{10}$ {9億5000万（950000000）}
② 4兆　10倍 {40兆（40000000000000）}　$\frac{1}{10}$ {4000億（400000000000）}

5 「49×17＝833」を使って，次の計算の答えを求めましょう。
① 4900×170＝833000　② 49万×17万＝833億（83300000000）

3 3けた÷2けたの計算です。2けた÷2けたのときと同じように，商の見当をつけながらたてて計算を進めましょう。
3 ⑦は，あまりの数が37と大きいです。 わる数が39なのでわる数よりも小さいため，正しいとわかります。 ⑧は，筆算をとちゅうで省りゃくしても正かいです。

4 **2** 数が大きい場合は，数を右から4つずつ区切ってみましょう。「7／3964／2067／5182」とすると，一～千の位，一万～千万の位，一億～千億の位，一兆の位がわかりやすくなります。
5 計算のきまりをもとにして，大きい数の積を求めます。 ①は，4900は49の100倍，170は17の10倍なので，答えは833の1000倍になります。

日本一
楽しい
学習ドリル

うんこ総復習ドリル

小学4年生

算数・理科・社会

答えとアドバイス

わかりやすい縮刷解答！

しっかり答え合わせしよう！

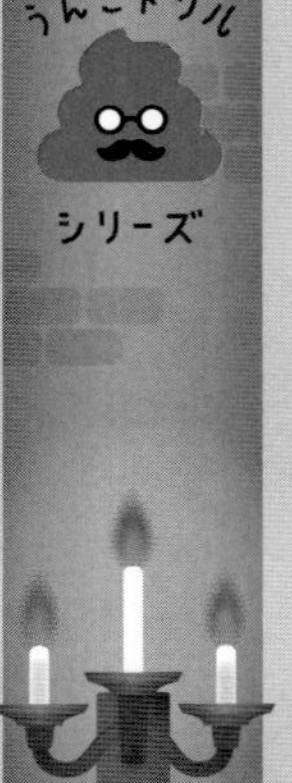

別冊